TEMATYCZNY
SŁOWNIK
ANGIELSKO-POLSKI

Wydawnictwo:

Literat
87-100 Toruń
ul. Łazienna 28

Autorzy:

Anna Strzeszewska
Justyna Chuda

Projekt okładki:

Paweł Włodarek

ISBN 83-89420-28-7

Druk i oprawa: Zakłady Graficzne im. KEN S.A.
Bydgoszcz, ul. Jagiellońska 1, tel. (0-52) 322-18-21

PRZEDMOWA

Słownik tematyczny angielsko - polski składa się z 80 działów tematycznych zawierających słownictwo dotyczące różnych dziedzin życia np. sportu, podróży, zakupów. Dlatego z pewnością okaże się pomocny turyście korzystającemu z usług banku za granicą czy wybierającemu się na zakupy. Osoby uczące się języka angielskiego z łatwością napiszą wypracowanie i pogłębią swoją wiedzę o specjalistyczne słownictwo mając pod ręką nasz słownik.

Słownik zawiera ponad 11 000 haseł ułożonych w kolejności alfabetycznej w odpowiednich rozdziałach. Podaje zarówno słownictwo brytyjskie jak i amerykańskie, oznaczając je odpowiednio kwantyfikatorami *UK* i *US*.

Mamy nadzieję, że słownik będzie istotną pomocą w nauce języka angielskiego oraz że jego przejrzysty układ zachęci do rozszerzania słownictwa.

KWANTYFIKATORY

UK – słownictwo używane na terenie Wielkiej Brytanii
US - słownictwo używane na terenie Stanów Zjednoczonych
sb – ktoś
sth - coś

SPIS TREŚCI

5

DODATEK
APPENDIX

ADDICTIONS
NAŁOGI

RZECZOWNIKI

addict	nałogowiec
addiction	nałóg
addiction	uzależnienie
AIDS-Acquired Immune Deficiency Syndrome	aids
alcohol abuse	nadużywanie alkoholu
alcohol addict	człowiek uzależniony od alkoholu
alcoholic	alkoholik
alcoholism	alkoholizm
amphetamine	amfetamina
anti-depressant	lek antydepresyjny
benefits	korzyści
blood poisoning	zakażenie krwi
body	ciało
breathanalyser	alkomat
buff	niedopałek
cannabis	konopie indyjskie
chance	szansa
changes of mood	zmiany nastroju
cigar	cygaro
cigarettes	papierosy
cocaine	kokaina
coffeine	kofeina
confusion	pomieszanie
contagion	zakażenie, zarażenie się
cough	kaszel
crack	kokaina
cure	lekarstwo
danger	niebezpieczeństwo
death	śmierć
deliverer, dealer	dostawca

9

dependence on	uzależnienie od
depression	depresja
determination	zdecydowanie
detox	detoks
diet	dieta
disease	choroba
dope	narkotyk
drugs	narkotyki
drunkard	nałogowy pijak
epidemic	epidemia
fag	szlug, papieros
fear	strach
filter-tipped cigarette	papieros z filtrem
fix	dawka, działka
gold shot	złoty strzał
habit	nałóg, przyzwyczajenie
hallucinations	halucynacje
hashish	haszysz
health	zdrowie
heavy drinker	pijak
help	pomoc
heroin	heroina
illness	choroba
infection	infekcja
irrability	drażliwość, nerwowość
isolation	izolacja
jaundice	żółtaczka
loss of appetite	utrata apetytu
lung cancer	rak płuc
marijuana	marihuana
medical disorders	dolegliwości zdrowotne
narcotic	narkotyk
needle	igła
nicotine	nikotyna
opium	opium
overdose	przedawkowanie
passive smoking	palenie bierne
physical detoriorations	fizyczne wyczerpanie
physical immunity	fizyczna odporność
pipe	fajka

power of will	siła woli
pressure	nacisk
prevention	profilaktyka
prospect	perspektywa
pusher	handlarz narkotykami
recovery	powrót do zdrowia
responsibility	odpowiedzialność
sexual contact	kontakt seksualny
sleeplessness	bezsenność
smoke	dym
smoking	palenie papierosów
snuff	tabaka
society	społeczeństwo
sore	rana, owrzodzenie
steroid	steryd
stress	stres
strong will	silna wola
suffering	cierpienie
support	wsparcie, podpora
syringer	strzykawka
system	organizm
terminal disease	choroba śmiertelna
threat	groźba
tolerance	tolerancja
touch	dotyk
trafficer	handlarz
tranquilizer	środek uspokajający
treatment	leczenie
unconsciouncess	nieprzytomność
vaccine	szczepionka
victims	ofiary
way-out	wyjście
weakness	słabość

WYRAŻENIA PRZYMIOTNIKOWE
I PRZYSŁÓWKOWE

alcoholic	alkoholowy
powerless	bezsilny
painful	bolesny
available	dostępny
embarrasing	krępujący
soft (drug)	miękki (narkotyk)
habitual, chronic	nałogowy
dangerous	niebezpieczny
non-smoker	niepalący
unconscious	nieprzytomny
stale smoke	nieświeży zapach
unbalanced	niezrównoważony
dope	odurzony
drunken	pijacki
drunk, drunken	pijany
under the influence of alcohol	pod wpływem alkoholu
tipsy	podchmielony
deceitful	podstępny
frightening	przerażający
depressed	przygnębiony
frustrated	sfrustrowany
terrible	straszny
sober	trzeźwy
addictive	uzależniający
addicted	uzależniony
drug addict	uzależniony od narkotyków
fitter	zdrowszy
disastrous	zgubny, katastrofalny
bored	znudzony

WYRAŻENIA CZASOWNIKOWE

to be convinced – być przekonanym
to dope – dawać narkotyki lub środki dopingujące
to refuse – odmawiać
to smoke – palić
to chain-smoke – palić papierosy jeden po drugim
to cope with – poradzić sobie
to lead to death – prowadzić do śmierci
to spread – rozprzestrzeniać się
to give up – rzucić
to give up drinking / smoking – rzucić picie / palenie
to relieve – ulżyć, odciążyć
to avoid – unikać
to struggle – walczyć
to light a cigarette – zapalić papierosa
to get infected – zarazić się
to combat – zwalczyć

AIRPORT
LOTNISKO

RZECZOWNIKI

air strip	lądowisko
air traffic controller	kontroler ruchu lotniczego
airline	linia lotnicza
airliner	samolot komunikacyjny
airsickness bag	torebka chorobowa
aisle	przejście między rzędami
aisle seat	siedzenie przy przejściu
arrival board	tablica przylotów
arrival hall	hala przylotów
arrival monitor	monitor przylotów
baggage chech-in counter	stanowisko odprawy podróżnych
baggage check	kwit bagażowy
baggage hold	bagażnik
blanket	koc
board	pokład
business class cabin	kabina klasy business
cabin	kabina
captain	kapitan
car park	parking samochodowy
carousel	obrotowy transporter taśmowy
coach park	parking dla autokarów
commuter	samolot komunikacji lokalnej
currency exchange counter	stanowisko wymiany walut
customs	urząd celny
customs clearance	kontrola celna
customs duty	cło
customs officer	celnik
declaration	deklaracja celna
delay	opóźnienie
departure board	tablica odlotów
departure hall	hala odlotów

departure lounge	hala odjazdów
departure monitor	monitor odlotów
duty-free shop	sklep wolnocłowy
economy class cabin	kabina klasy ekonomicznej
engine	silnik
excess baggage	nadwyżka bagażowa
extinguisher	gaśnica
eyemask	okulary do spania
first aid kid	apteczka pierwszej pomocy
flight	lot
flight crew	załoga samolotu
flight engineer	mechanik pokładowy
force landing	lądowanie przymusowe
galley	kuchnia pokładowa
gate	wyjście do samolotu
goods to declare	towary do zgłoszenia celnego
headphones	słuchawki
immigration officer	urzędnik imigracyjny
information counter	informacja
intermediate landing	międzylądowanie
jet	odrzutowiec
landing	lądowanie
life jacket	kamizelka ratunkowa
life vest *US*	kamizelka ratunkowa
loudspeaker	głośnik
luggage label	naklejka bagażowa
lunch-box	pojemnik z posiłkiem
meeting point	miejsce spotkania
middle seat	siedzenie środkowe
mobile passenger stairs	ruchome schody dla pasażerów
nose	nos samolotu
passenger	pasażer
passport	paszport
passport control	kontrola paszportowa
pillow	poduszka
pilot	pilot
plane	samolot
porter	bagażowy
runway	pas startowy

safety demonstration	prezentacja wyposażenia awaryjnego samolotu
safety instruction	instrukcja bezpieczeństwa
seat	siedzenie
seat pocket	kieszeń fotela
security check	kontrola bezpieczeństwa
security officer	oficer ochrony
snack-box	pojemnik z przekąską
spot check	kontrola wyrywkowa
steward	steward
stewardess	stewardesa
tail	ogon samolotu
ticket counter	sprzedaż biletów
time of arrival	godzina przylotu
time of departure	godzina odlotu
tray	taca
tray carrier	pojemnik na tace
window seat	siedzenie przy oknie
wing	skrzydło
winow	okno

WYRAŻENIA PRZYMIOTNIKOWE

boarding card	karta pokładowa
cabin baggage	bagaż kabinowy
cancelled flight	lot odwołany
cargo terminal	terminal towarowy
combat aircraft	samolot bojowy
control towel	wieża kontrolna
delayed flight	lot opóźniony
direct flight	lot bezpośredni
domestic airport	krajowy port lotniczy
international airport	międzynarodowy port lotniczy
jet aircraft	samolot odrzutowy
luggage trolley	wózek bagażowy
military plane	samolot wojskowy
observation deck	taras widokowy
oxygen mask	maska tlenowa

passenger plane	samolot pasażerski
passenger terminal	terminal pasażerski
transit cart	karta tranzytowa

WYRAŻENIA CZASOWNIKOWE

to buy a ticket in advance – kupować bilet z wyprzedzeniem
to cancel the reservation – odwołać rezerwację
to change the reservation – zmienić rezerwację
to check in – zgłaszać się do rozprawy
to confirm the reservation – potwierdzić rezerwację
to fasten the seat belts – zapiąć pasy
to fly by plane – lecieć samolotem
to get off the plane – wysiąść z samolotu
to get on the plane – wejść na pokład samolotu
to go down – zniżać się
to go up – wznosić się
to have a connection to – mieć połączenie do
to land - lądować
to take off – startować

ANIMALS
ZWIERZĘTA

RZECZOWNIKI

alligator	aligator
ant	mrówka
antbear	mrówkojad
antelope	antylopa
ape	małpa
bat	nietoperz
beak	dziób
bear	niedźwiedź
bee	pszczoła
bison	bizon
boar	dzik
breed	rasa
butterfly	motyl
calf	cielak
camel	wielbłąd
cat	kot
caterpillar	poczwarka, gąsiennica
cattle	bydło
chameleon	kameleon
chicken	kurczak
claws	pazury
cobra	kobra
cock	kogut
cow	krowa
crab	krab
crayfish	rak
crocodile	krokodyl
crow	wrona
cub	lwiątko, niedźwiadek
deer	jeleń
dinosaur	dinozaur
dog	pies

dolphin	delfin
donkey	osioł
dove	gołąb pokoju
duck	kaczka
eagle	orzeł
egg	jajko
elephant	słoń
fish	ryba
flamingo	flaming
flock of sheep	stado owiec
fly	mucha
foal	źrebak
fox	lis
frog	żaba
gills	skrzela
giraffe	żyrafa
goat	koza
goose	gęś
guinea pig	świnka morska
hedgehog	jeż
hen	kura
herd of cattle	stado bydła
heron	czapla
hippopotamus	hipopotam
hive	ul
hoof	kopyto
horse	koń
hyena	hiena
kangaroo	kangur
kitten	kociak
koala bear	miś koala
lamb	jagnię
leopard	leopard
lion	lew
lobster	homar
mammal	ssak
mane	grzywa
mongrel	kundel
monkey	małpa
moose	łoś

mosquitoe	komar
moth	ćma
mouse	mysz
mouse trap	pułapka na myszy
nest	gniazdo
octopus	ośmiornica
ostrich	struś
owl	sowa
pack of wolves	stado wilków
panda bear	miś panda
panter	pantera
parrot	papuga
paw	łapa
peacock	paw
pelican	pelikan
penguin	pingwin
pig	świnia
pigeon	gołąb
piglet	prosiak
porcupine	jeżozwierz
puppy	królik
racoon	szop
ram	baran
raven	kruk
reptile	gad
rhinoceros	nosorożec
rooster	kogut
scales	łuski
sea horse	konik morski
seagull	mewa
seal	foka
shark	rekin
sheep	owca
shoal of fish	ławica ryb
skunk	skunks
snail	ślimak
snake	wąż
sparrow	wróbel
species	gatunki
spider	pająk

squirrel	wiewiórka
stag	jeleń
stork	bocian
sty	chlew
swallow	jaskółka
swan	łabędź
swarm of bees	rój pszczół
tadpole	kijanka
tail	ogon
tiger	tygrys
turkey	indyk
vulture	sęp
walrus	mors
wasp	osa
web	pajęczyna
whale	wieloryb
whisker	wąsy
wing	skrzydło
woodpecker	dzięcioł
woolf	wilk
worm	robak
zebra	zebra

WYRAŻENIA PRZYMIOTNIKOWE

domesticated animal	udomowione zwierzę
endangered species	gatunki zagrożone
land animals	zwierzęta lądowe
protectins species	gatunki chronione
rabbit hole	królicza nora
tame animal	oswojone zwierzę
wild animals	dzikie zwierzęta

WYRAŻENIA CZASOWNIKOWE

to bark – warczeć
to be bitten by mosquitoe – być pogryzionym przez komara
to bleat - beczeć
to buzz – brzęczeć
to cluck – gdakać
to croak – rechotać
to crow – piać
to flutter – trzepotać
to fly - lecieć
to gallop - galopować
to growl – szczerzyć zęby
to grunt – chrumkać
to hibernate – zapadać w sen zimowy
to hop – skakać
to live at large – żyć na wolności
to live in captivity – żyć w niewoli
to make honey – wytwarzać miód
to mew – miauczeć
to moo – muczeć
to purr – mruczeć
to quack - kwakać
to roar – ryczeć
to skip – skakać
to slither – pełzać
to spin a web – prząść pajęczynę
to swim – pływać

APPEARANCE
WYGLĄD

RZECZOWNIKI

age	wiek
bags under the eyes	podkrążone oczy
bangs *US*	grzywka
beard	broda
beauty spot	pieprzyk
birthmark	znamię
bun	kok
characteristic	cecha
cheeks	policzki
chin	podbródek
comb	grzebień
complection	cera
contact lenses`	soczewki kontaktowe
dimples	dołki na twarzy
eyes	oczy
eyebrows	brwi
eyelashes	rzęsy
face	twarz
freckles	piegi
frindge *UK*	grzywka
hair	włosy
hairgrip	wsuwka
height	wzrost
lines	zmarszczki
lips	usta
moustache	wąsy
nose	nos
parting	przedziałek
permanent waving	trwała ondulacja
pin	spinka
plait	warkocz
pony–tail	kucyk

ribbon	wstążka
scar	blizna
sideboard	baczki
siding	przedziałek
spots	krosty
stubble	mały zarost
tattoo	tatuaż
toupee	treska
wig	peruka
wrinkles	zmarszczki

WYRAŻENIA PRZYMIOTNIKOWE

above average height	powyżej średniej wysokości
all skinny bones	skóra i kości
athlethic	atletycznie zbudowany
attractive	atrakcyjny
auburn hair	kasztanowe włosy
bald	łysy
bearded man	brodaty człowiek
beautiful	piękna
blond hair	włosy blond
bony	kościsty
bushy eyebrows	krzaczaste brwi
clearly shaved	gładko ogolony
corpulent	przysadzisty
curly hair	kręcone włosy
dark hair	ciemne włosy
double chin	podwójny podbródek
dyed hair	farbowane włosy
elegant	elegancki
extremely tall	bardzo wysoki
fair hair	jasne włosy
false eyelashes	sztuczne rzęsy
fat	gruby
freckled face	piegowata twarz
ginger hair	rude włosy
gray hair	siwe włosy

hair swept back	włosy zaczesane do góry
handsome	przystojny
high forehead	wysokie czoło
hollow cheeks	zapadnięte policzki
hook nose	rzymski nos
lined forehead	pomarszczone czoło
long eyelashes	długie rzęsy
long hair	długie włosy
medium build	średniej budowy
muscular	muskularny
middle aged	w średnim wieku
neat hair	schludne włosy
obese	z nadwagą
pale complection	blada cera
pencil–thin eyebrows	wydepilowane brwi
petite	mały
pierced ears	przekłute uszy
piercing eyes	przeszywający wzrok
plain	przeciętny
plump	puszysty
pointed chin	wystający podbródek
pretty	ładna
prominent cheek bones	wystające kości policzkowe
puny–looking	zabiedzony
shoulder-length hair	włosy do ramion
short	niski
shortly cut	krótko obcięty
skinny	bardzo szczupły
slight and slender	powabny
slim	szczupły
snub nose	zadarty nos
slanting eyes	skośne oczy
slender	smukły
special features	znaki szczególne
spiky hair	włosy postawione do góry
square jaw	kwadratowa szczęka
squat	przysadzisty
stocky	krępy
stout	tęgi
straight hair	proste włosy

strong	silny
tallish	wysokawy
tanned complection	opalona cera
thick lips	mięsiste wargi
thin	szczupły
thin lips	wąskie usta
tiny	drobny
turned up nose	zadarty nos
ugly	brzydki
wavy hair	falowane włosy
well–build	dobrze zbudowany
well-dressed	dobrze ubrany

WYRAŻENIA CZASOWNIKOWE

to be attractive – być atrakcyjnym
to be good looking – być przystojnym
to be shortly cut – być krótko ściętym
to be well build – być dobrze zbudowanym
to brush–wave hair –modelować włosy szczotką
to grow a beard – zapuszczać brodę
to have got a good figure – mieć dobrą figurę
to have freckles –mieć piegi
to have a perm – mieć trwałą ondulację
to have / wear hair in a bun – czesać się w koka
to have / wear hair in a pony–tail – czesać się w kucyki
to trim moustache and beard – przystrzyc wąsy I brodę
to wear a beard – nosić brodę
to wear hair swept back – nosić włosy zaczesane do tyłu

ARCHITECTURE AND BUILDINGS
ARCHITEKTURA I BUDYNKI

RZECZOWNIKI

address	adres
amenity	udogodnienie
annex, extension	przybudówka
apartment	apartament, mieszkanie
asbestos	azbest
atrium	atrium
bachelor flat	kawalerka
barn	stodoła
baroque	barok
barrack	barak
barracks	koszary
basement	suterena
basilica	bazylika
bastion	bastion
bay	alkowa, wnęka
beam	belka
block of flats	blok mieszkalny
blueprint	projekt
break-in	włamanie
brick	cegła, kostka
building	budynek, budownictwo
bungalow	domek parterowy
burglar	włamywacz
burglary	włamanie
burgler alarm	alarm antywłamaniowy
bus station	stacja autobusowa
caretaker , janitor *US*	dozorca
castle	zamek
cell	cela, komórka
cellar	piwnica
cement	cement
central heating	centralne ogrzewanie

centre	centrum
chapel	kaplica
church	kościół
cinema	kino
cloakroom	szatnia, toaleta
cloister	krużganek
column	kolumna
concourse	główna hala
concrete	beton
convent	klasztor żeński
corridor	korytarz
cottage	domek
courthouse	budynek sądu
courtyard	dziedziniec
custodian	dozorca
dacha	dacza
decor	wystrój, dekoracja
demolition	rozbiórka
denizen	mieszkaniec
depot	skład
detached house	dom wolnostojący
doghouse, kennel	buda dla psa
dome	kopuła
door	drzwi
doorman	odźwierny
doorphone	domofon
doorstep	próg
doorway	wejście
dorknob	gałka u drzwi
dormat	wycieraczka
dormitory	dormitorium
dormitory, students house	akademik
double-glazing	okno z dwoma szybami
duct	przewód, kanał
edifice	gmach
emergency exit	wyjście awaryjne
engineer	inżynier
engineireeng	inżynieria, technika
entrance	wejście
escalator	ruchome schody

fabric	konstrukcja budynku
facade	fasada
factory	fabryka
fence	ogrodzenie, płot
fire escape	schody przeciwpożarowe (na zewnątrz budynku)
fire exit	wyjście pożarowe
first floor	pierwsze piętro
flat	mieszkanie
floorboard	deska podłogowa
forecourt	dziedziniec
forester's lodge	leśniczówka
fort	fort
fortress	forteca
foundation	fundament, podstawa
foundation stone	kamień węgielny
framework	szkielet konstrukcji
French window	drzwi balkonowe
furnishings	wyposażenie
furniture	meble
gable	szczyt (ściany)
gallery	galeria, balkon, korytarz
garage	garaż
garrison	garnizon
gate	brama
greenhouse	szklarnia
ground floor	parter
groundsheet	materiał izolacyjny
gym	sala gimnastyczna
habitation	zamieszkiwanie
hall	hol, sala
hangar	hangar
heating	ogrzewanie
high-rise	wieżowiec
hotel	hotel
house	budynek mieszkalny
hut	chata
igloo	igloo
indoors	wewnątrz budynku
kiosk	kiosk

lease	dzierżawa, najem
leaseholder	dzierżawca, najemca
library	biblioteka
lighthouse	latarnia morska
lighting	oświetlenie
loft	strych
lumber	budulec
main entrance	główne wejście
mains	sieć zasilająca
mainterance	konserwacja, utrzymanie
manor house	dwór
marble	marmur
masonry	murarka
mill	młyn
monastery	klasztor męski
mosque	meczet
museum	muzeum
niche	nisza
observatory	obserwatorium
occupant	mieszkaniec, lokator
opera	opera
pagoda	pagoda
palace	pałac
pavilion	pawilon
penthouse	apartament na najwyższym piętrze
plan	plan
plaster	gips, tynk
reception	recepcja
receptionist	recepcjonistka
removal	przeprowadzka
renovation	renowacja
residence	rezydencja
revolving door	drzwi obrotowe
room	pokój
ruin	ruina
semidetached house	dom dwurodzinny
shop	sklep
skylight	okno dachowe
skyscraper	drapacz chmur

sliding door	drzwi rozsuwane
spire	wieżyca
squatter	dziki lokator
stairs	schody
summer house	domek letniskowy
surveyor	inspektor
swing door	drzwi wahadłowe
synagogue	synagoga
tchatch	strzecha
temple	świątynia
tenement	dom czynszowy
tenure	prawo własności
tepee	wigwam
tower	wieża
town house	dom w mieście
villa	willa
wall	ściana
warehouse	hurtownia
windmill	wiatrak
window	okno
woodwork	stolarka

WYRAŻENIA PRZYMIOTNIKOWE I PRZYSŁÓWKOWE

airy	przewiewny
condemn	przeznaczony do rozbiórk
cramped	stłoczony, ścieśniony
derelict	porzucony, opuszczony
dilapidated	rozpadający się
downstairs	na dole
family	rodzinny
furnished	umeblowany
immense	ogromny
imposing	okazały
indoor	halowy
spacious	przestronny
stony	kamienny

timbered	drewniany
upstairs	na górze

WYRAŻENIA CZASOWNIKOWE

Do you want to come in? – Czy chcesz wejść?
There is no place like home. – Wszędzie dobrze, ale w domu najlepiej.
to be homeless – być bezdomnym
to breeak in – włamać się
to build a house – budować dom
to burnt down (sth) – spalić (coś)
to cement – cementować
to decorate – dekorować
to demolish – demolować
to fence sth off – odgrodzić, oddzielić
to fortify – wzmacniać, umacniać
to frame – konstruować
to furnish – meblować
to have a flat to let – mieć mieszkanie do wynajęcia
to knock sth down – burzyć coś
to lease – dzierżawić, najmować
to lock – zamknąć na klucz
to lomber – zagracać
to move – wyprowadzać się
to rent a flat – wynająć mieszkanie
to squat – zamieszkiwać nielegalnie
to brick up – zamurować
to slam the door – zatrzasnąć drzwi
to be burgled – zostać okradzionym

ART
SZTUKA

RZECZOWNIKI

aesthete	esteta
aesthetics	estetyka
arch	łuk
architecture	architektura
artist	artysta
audience	widownia
authobiography	autobiografia
author	autor
background	tło
ballet	balet
brush	pędzel
canvas	płótno
cast	obsada
ceramics	ceramika
chapter	rozdział
character	postać literacka
cinema	kino
chisel	dłuto
classic	klasyk
collector	kolekcjoner
column	kolumna
composer	kompozytor
concert	koncert
conductor	dyrygent
costume	kostium
cover	okładka
craft	rękodzieło
critic	krytyk
culture	kultura
custodian	kustosz
director	reżyser
display	wystawa

drawing	rysunek
draught	szkic
easel	sztaluga
entertainment	rozrywka
exhibition	wystawa
frame	rama
gallery	galeria
graphic art	sztuka graficzna
hust	popiersie
interval	przerwa w teatrze
landscape	pejzaż
literature	literatura
masterpiece	arcydzieło
modern art	sztuka nowoczesna
monument	pomnik
mosaic	mozaika
mural	malowidło ścienne
museum	muzeum
novel	powieść
novelist	pisarz
oil	farba olejna
opera	opera
orchestra	orkiestra
paint-box	pudełko z farbami
painter	malarz
painting	obraz
performance	przedstawienie
perspective	perspektywa
philharmonic	filharmonia
picture	obrazek
play	sztuka teatralna
playwright	dramatopisarz
poem	poemat
poetry	poezja
portrait	portret
poster	plakat
preface	przedmowa
recording	nagranie
rehearsal	próba
review	recenzja

scenery	dekoracja
sculptor	rzeźbiarz
sculpture	rzeźba
self–portrait	autoportret
special effects	efekty specjalne
stage	scena
statue	statua
still life	martwa natura
theater	teart
title	tytuł
verse	wiersz
watercolours	akwarele
wall-painting	fresk

WYRAŻENIA PRZYMIOTNIKOWE I PRZYSŁÓWKOWE

absrtact art	sztuka abstrakcyjna
artistic person	osoba uzdolniona artystycznie
creative works	prace twórcze
cultural event	wydarzenie kulturalne
favourite writter	ulubiony pisarz
folk art	sztuka ludowa
gifted person	osoba uzdolniona
gripping plot	wciągająca fabuła
hand-made	ręcznie robiony
in modern dress	w nowoczesnych kostiumach
live concert	koncert na żywo
long round of applause	długie brawa
manual work	praca ręczna
modern art	sztuka nowoczesna
moving story	poruszająca historia
private collector	prywatny kolektor
popular music	muzyka popularna
representational works	prace reprezentacyjne
well written book	dobrze napisana książka

WYRAŻENIA CZASOWNIKOWE

to applaud – oklaskiwać
to carve – rzeźbić
to chisel – dłutować
to conduct an orchestra - dyrygować orkiestrą
to draw - rysować
to exhibite works – wystawiać prace
to pain - malować
to put on a exhibition - wystawiać
to put on a play – wystawiać sztukę
to recite a verse – recytować wiersz
to use oils – używać farb olejnych

BANK
BANK

RZECZOWNIKI

account	konto, rachunek
allowance	bonifikata
amount	kwota, suma
assets	aktywa
balance	bilans
bank account	rachunek bankowy
bank cheque	czek bankowy
bank credit	kredyt bankowy
bank deposit	depozyt bankowy
bank statement	wyciąg z konta
banker	bankier
banking	bankowość
banknotes	banknoty
bearer cheque	czek na okaziciela
bill of exchange	weksel
book-keeping	księgowość
branch	filia
branch of a bank	oddział banku
budget	budżet
bureau de change, currency exchange *US*	kantor wymiany walut
capital	kapitał
capital investment	lokata kapitału
cash	gotówka
cash credit	kredyt gotówkowy
cash dispenser	bankomat
cashier	kasjer
central bank	bank centralny
charge	opłata
chequebook	książeczka kredytowa
coin	moneta
commercial bank	bank handlowy

commission	prowizja
consumer credir	kredyt konsumpcyjny
credit	kredyt
credit balance	saldo dodatnie
credit card	karta kredytowa
currency	waluta
current account	rachunek bieżący
debit	debet
debit balance	saldo ujemne
debt	dług
devaluation	dewaluacja
embezzlement	defraudacja
eurocheque	euroczek
exange counter	okienko, kasa
false money	fałszywy pieniądz
foreign currency	obca waluta
foreign curreny account	konto dewizowe
fund	fundusz
guarantee	poręczenie
holder of an account	posiadacz konta
income	dochód
inflation	inflacja
inflation rate	stopa inflacji
instalment	rata
interest	odsetki, oprocentowanie
interest payment	spłata odsetek
leasing	leasing
loan	pożyczka
loan office	kasa pożyczkowa
long-term credit	kredyt długoterminowy
long-term investment	lokata długoterminowa
money	pieniądze
mortgage	hipoteka
mortgage credit	kredyt hipoteczny
national bank	bank narodowy
National Bank of Poland	Narodowy Bank Polski
payment	płatność, wpłata
pension fund	fundusz emerytalny
private bank	prywatny bank
rate	kurs

rate of exange	kurs wymiany walut
receipt	pokwitowanie
repayment of a credit	spłata kredytu
savings	oszczędności
savings account	rachunek oszczędnościowy
savings bank	kasa oszczędnościowa
short-term credit	kredyt krótkoterminowy
short-term investment	lokata krótkoterminowa
transfer	przelew
traveller's cheque	czek podróżny
trust fund	fundusz powierniczy
uncovered cheque	czek bez pokrycia
World Bank	Bank Światowy

WYRAŻENIA PRZYMIOTNIKOWE I PRZYSŁÓWKOWE

expensive	drogi
incredibily	niewiarygodnie
indebted	zadłużony
insolvent	niewypłacalny
monetary	pieniężny
regular	stały

WYRAŻENIA CZASOWNIKOWE

to embezzle – defraudować
to deposit – deponować
to make a payment – dokonać wpłaty
to make a transfer – dokonywać przelewu
to have an account with a bank – mieć konto w banku
to open an account – otworzyć konto
to pay by cheque – płacić czekiem
to pay in cash – płacić gotówką
to pay by credit card – płacić kartą kredytową

to sign – podpisać
to apply for a loan – starać się o pożyczkę
to keep money with a bank – trzymać pieniądze w banku
to give a loan – udzielić pożyczki
to bank – wpłacać do banku
to deposit money – wpłacić pieniądze
to pay the money into account – wpłacić pieniądze na konto
to go bankrupt – z bankrutować
to take out a loan – zaciągnąć pożyczkę
to cash a cheque – zrealizować czek

BATHROOM
ŁAZIENKA

RZECZOWNIKI

balsam	balsam
basin	miska, miednica
bath	kąpiel
bath mat	dywanik łazienkowy
bath towel	ręcznik kąpielowy
bath(tub)	wanna
bathrobe	szlafrok
bidet	bidet
brush	szczotka
bubble bath, bath foam	płyn do kąpieli
cabin	kabina
cabinet	szafka
cesspit	szambo
chamber-pot	nocnik
cleaning	czyszczenie
cleanliness	czystość
clippers	maszynka do strzyżenia
cold (water) tap	kurek z zimną wodą
comb	grzebień
cork	korek
cosmetics	kosmetyki
cotton wool	wata
cream	krem
deodorant	dezodorant
disinfectant	środek dezynfekujący
dryer	suszarka
drying room	suszarnia
eau-de-cologne	woda kolońska
faucet	kran
fixtures	armatura
foam	pianka do golenia
foam, froth	piana

hairbrush	szczotka do włosów
hairdo, hairstyle	uczesanie
hairdryer	suszarka do włosów
hamper	kosz na bieliznę
hand cream	krem do rąk
hand towel	ręcznik do rąk
hot water tap	kurek z gorącą wodą
lather	piana z mydła
liquid soap	mydło w płynie
lotion	mleczko kosmetyczne
medicine cabinet	apteczka
mirror	lustro
mousse	pianka do włosów
powder compact	puderniczka
razor	golarka
scales	waga
scissors	nożyczki
shampoo	szampon
shaver	maszynka do golenia
shaving	golenie
shaving-foam	pianka do golenia
shaving-soap	mydło do golenia
shelf	półka
shower	natrysk
shower	prysznic
shower enclosure	kabina prysznicowa
sink	zlew
smell	zapach
soap	mydło
soap dish, soap-holder	mydelniczka
soap flakes	płatki mydlane
soap-bubble	bańka mydlana
softener	środek zmiękczający
spin	wirowanie
spin-dryer	wirówka do bielizny
sponge	gąbka
starch	krochmal
suds	mydliny
tap	kurek
tile	kafelek

toilet	ubikacja
toilet bowl	muszla klozetowa
toilet paper	papier toaletowy
toilet seat	deska sedesowa
toothbrush	szczoteczka do zębów
toothpaste	pasta do zębów
towel	ręcznik
towel track	wieszak na ręcznik
tweezers	pęseta
urinal	pisuar
urine	mocz
vaseline	wazelina
washbasin	umywalka
washer	uszczelka, pralka
washing	mycie, pranie
washing powder	proszek do prania
washing-machine	pralka
water-closet	ubikacja, ustęp

WYRAŻENIA PRZYMIOTNIKOWE
I PRZYSŁÓKOWE

clean	czysty
cold	zimny
dirty	brudny
dried up	wysuszony
dry	suchy
hot	gorący
soapy	mydlany
washable	zmywalny, nadający się do prania
wet	mokry

43

WYRAŻENIA CZASOWNIKOWE

to comb – czesać się
to make up – malować się
to shave – golić
to soak feet – moczyć stopy
to starch – krochmalić
to take a bath – kąpać się
to take a shower – brać prysznic
to wash – myć się, prać
to wash hair – myć włosy
to clean / to brush the theeth – myć zęby
to soap – mydlić
to flush – spłukiwać
to dry – suszyć, wycierać (się)
to brush – szczotkować
to stail hair – układać włosy
to whirl – wirować
to spin-dry – wirować bieliznę
to dry up – wysuszyć
to flood – zalać
to remove make-up – zmywać makijaż

BIRDS
PTAKI

RZECZOWNIKI

albatross	albatros
aviary	ptaszarnia
beak, bill	dziób
bird of paradise	rajski ptak
bird's-eye view	widok z lotu ptaka
birds of passage	ptaki wędrowne
birds of prey	ptaki drapieżne
bird-watcher	ornitolog
blackbird	kos
bullfinch	gil
buzzard	myszołów
cage	klatka
canary	kanarek
chaffinch	zięba
chicken	kurczak
claw	szpon, pazur
coal	sikora
cock	kogut
condor	kondor
cormorant	kormoran
crane	żuraw
crow	wrona
crow's nest	bocianie gniazdo
cuckoo	kukułka
cygnet	łabędziątko
dove	gołąbek
dove of peace	gołąbek pokoju
down	puch
drake	kaczor
duck	kaczka
eagle	orzeł
eagle owl	puchacz

45

egg	jajo
emu	emu
erne	bielik
falcon	sokół
feather	pióro
flamingo	flaming
flock, skein	klucz (np. gęsi)
gander	gąsior
geese	gęsi
golden oriole	wilga
goldfinch	szczygieł
goose	gęś
goose-flesh	gęsia skórka
goshawk	jastrząb
goshing	gąsiątko
gray heron	czapla siwa
grebe	perkoz
guinea fowl	perliczka
hatch	wylęg
hen	kura
heron	czapla
hoopoe	dudek
hummingbird	koliber
hunt, hunting	polowanie
jackdaw	kawka
jay	sójka
kingfisher	zimorodek
kite	kania
kiwi	kiwi
little parrot	papużka
magpie	sroka
martin	jaskółka oknówka
nest	gniazdo
nestling	pisklę
nightingale	słowik
nightjar	lelek
nocturnal birds	ptaki nocne
osprey	rybołów
ostrich	struś
owl	sowa

parrot	papuga
partridge	kuropatwa
peacock	paw
pelican	pelikan
penguin	pingwin
pheasant	bażant
pigeon	gołąb
plumage	upierzenie
poultry	drób
quail	przepiórka
quill	gęsie pióro
raven	kruk
redpoll	czeczotka
robin	rudzik
rook	gawron
seagull	mewa
singing	śpiew
skylark	skowronek
snipe	bekas
sparrow hawk	krogulec
sparrow	wróbel
starling	szpak
stork	bocian
swallow	jaskółka
swan	łabędź
swan-song	łabędzi śpiew
tawny owl	puszczyk
teal	cyraneczka
tern	rybitwa
thrush	drozd
toucan	tukan
tuft, crest	czub
turkey	indyk
turtledove	turkawka
vulture	sęp
wagtail	pliszka
water-hen	kurka wodna
waxwing	jemiołuszka
wild goose	dzika gęś
wing	skrzydło

woodgrouse	głuszec
woodpecker	dzięcioł
wren	strzyżyk
yellowhammer	trznadel

WYRAŻENIA PRZYMIOTNIKOWE I PRZYSŁÓWKOWE

beautiful	piękny
colorful	kolorowy
domesticated	oswojony
downy	puchowy
egg-shaped, oval	jajowaty
kind heart	gołębie serce
pock-marked	dziobaty
predatory	drapieżny
stork's	bociani
swan	łabędzi

WYRAŻENIA CZASOWNIKOWE

to alight – lądować
to build a nest – wić, budować gniazdo
to cackle – gdakać
to fly – latać
to gaggle – gęgać
to hatch – wykluć się
to hatch out – wysiadywać jaja
to hunt – polować
to kill two birds with one stone – upiec dwie pieczenie na jednym ogniu
to lay eggs – wysiadywać, znosić jaja
to nest – zagnieździć się
to peck – dziobać
to perch – siadać na gałęzi

to pick – dziobać
to quack – kwakać
to ride – szybować
to shoot birds – polować na ptaki
to sing – śpiewać
to twitter – ćwierkać, świergotać
to walk single file – iść gęsiego
to whistle – gwizdać

BOOKS AND LITERATURE
KSIĄŻKI I LITERATURA

RZECZOWNIKI

action of a novel	akcja powieści
adaptation	adaptacja
adventure books	książki przygodowe
adventure story	powieść przygodowa
annual	rocznik
anthology	antologia
appendix	dodatek
author	autor
autobiography	autobiografia
bestseller	bestseller
biography	bigrafia
blanc verse	wiersz biały (bez rymów)
book of stamps	klaser
bookcase	biblioteczka, regal
booklet	broszura
bookmark	zakładka
bookseller	księgarz
bookshop	księgarnia
bookstall	stoisko księgarskie
book-worm	mól książkowy
catalogue	katalog
censorship	cenzura
chapter	rozdział
character	postać
children's book	książka dla dzieci
classic	klasyk
climax	punkt kulminacyjny
collection	zbiór
comics	komiksy
contemporary literature	literatura współczesna
content	spis treści
content	zawartość

cookbook, cookery book	książka kucharska
copy	egzemplarz
critic	krytyk
detective story	powieść detektywistyczna
diary	pamiętnik
dictionary	słownik
drama	dramat
edition	edycja
encyclopaedia	encyklopedia
epic	utwór epicki
epilogue	epilog
epoch	epoka
fable	fabuła, bajka, opowieść
fairy-tales	bajki
fiction	beletrystyka
figure	rysunek, ilustracja
genre	rodzaj literacki
guide	przewodnik
handbook	podręcznik
hero	bohater
heroine	bohaterka
historical novel	powieść historyczna
illustration	ilustracja
index	indeks
introduction	wstęp
jacket	obwoluta
journal	dziennik
lexicon	leksykon
library	biblioteka
library card	karta biblioteczna
litarary output	twórczość literacka
literary achievement	osiągnięcie literackie
lyric	wiersz liryczny
manuscript	rękopis
masterpiece	arcydzieło
melodrama	melodramat
metaphor	metafora
myth	mit
narration	narracja, opowiadanie
narrator	narrator

non-fiction	literatura faktu
novel	powieść
novelette, storie	opowiadanie
novelist	powieściopisarz
novella	nowela
ode	oda
page	strona
paperback	wydanie kieszonkowe
parable	moralitet
parable	przypowieść
parody	parodia
phone book	książka telefoniczna
playwright	dramaturg
plot	wątek
poem	poemat
poet	poeta
poetical poem	powieść poetycka
poetics	poetyka
poetry	poezja
power of expression	siła wyrazu
preface	przedmowa
professional books	książki specjalistyczne
prologue	prolog
psalm	psalm
pseudonym	pseudonim
publication	publikacja
qutation	cytat
reader	czytelnik
reading-room	czytelnia
review	recenzja
romance	romans
romantic hero	bohater romantyczny
saga	saga
satirist	satyryk
science fiction	fantastyka naukowa
scietific books	książki naukowe
sentimentality	sentymentalność
short story	krótkie opowiadanie
sonnet	sonet
subtitle	podtytuł

tale	opowieść
the Bible	Biblia
title	tytuł
works in fiction	beletrystyka
writer	pisarz
extract	wyjątek, fragment, wyciąg
excerpt	fragment

WYRAŻENIA PRZYMIOTNIKOWE I PRZYSŁÓWKOWE

a book about / on	książka o
absorbing	absorbujący
at the turn	na przełomie
boring	nudna
didactic	pouczający
distinguished	wybitny
dog-eared book	książka z zagiętymi rogami
edition	edycja
eventful	urozmaicony
hand-written	pisane ręcznie
in black and white	czarno na białym
literary	literacki
methaphysical	metafizyczny
modern	współczesny
moving	wzruszający
naturalistic	naturalistyczny
post-war	powojenny
realistic	realistyczny
remarkable	znakomity
romantic	romantyczny
stormy	burzliwy
symbolic	symboliczny
talented	utalentowany

WYRAŻENIA CZASOWNIKOWE

to abridge – skracać
to adapt – adaptować
to browse – wertować
to censor – cenzurować
to characterise – charakteryzować
to critisise – krytykować
to dedicate – dedykować
to depict – zobrazować
to find a page – znaleźć stronę
to inspire – inspirować
to narrate – opowiadać
to publish – wydawać, publikować
to read aloud – czytać głośno
to review – recenzować
to turn a page – przewrócić stronę
to type – pisać na maszynie
to write – pisać

CAR
SAMOCHÓD

RZECZOWNIKI

accelerator	pedał gazu
air bag	poduszka powietrzna
auto – atlas	atlas samochodowy
back tyre	tylna opona
banger	stary gruchot
battery	akumulator
bodywork	karoseria
bonnet	maska
boot	bagażnik
brake	hamulec
brake pedal	hamulec nożny
bumper	zderzak
cab	taksówka (żargon)
cabriolet	kabriolet
car –mechanic	mechanik samochodowy
carburettor	gaźnik
car-wash	myjnia
chassis	podwozie
choke	ssanie
cistern	cysterna
clutch	sprzęgło
crossing/junction	skrzyżowanie
dashboard	deska rozdzielcza
diesel	samochód na ropę
dipstick	„patyk" do sprawdzania poziomu oleju
drive	napęd
driver	kierowca
drivig licence	prawo jazdy
driving lesson	nauka jazdy
engine	silnik
exhaust pipe	rura wydechowa

first-aid-kit	apteczka pierwszej pomocy
garage	garaż
gear	bieg
gear lever	dźwignia skrzyni biegów
gearbox	skrzynia biegów
go–cart	gokart
handbrake	hamulec ręczny
headlight	reflektor
headlights	światła przednie
head-on collision	zderzenie czołowe
hitch-hiker	autostopowicz
horn	klakson
ignition switch	stacyjka
ignition	zapłon
indicator / turn signal	kierunkowskaz
insurance	ubezpieczenie
intoxication	rausz
isurance certificate	polisa ubezpieczeniowa
jeep	dżip
limousine	limuzyna
lorry / truck *US*	samochód ciężarowy
low gear	pierwszy bieg
mudgar	błotnik
muffler	tłumik
official driving test	egzamin na prawo jazdy
passenger car	samochód osobowy
passenger	pasażer
pedestrian	pieszy
petrol / gas station	stacja benzynowa
petrol cap	korek wlewu paliwa
petrol gauge	wskaźnik poziomu paliwa
petrol tank	bak
puncture	przebicie dętki
radiator	chłodnica
rear window	tylna szyba
rear-lights	tylne światła
rear-view mirror	lusterko wsteczne
registration book	dowód rejestracyjny
reverse	wsteczny
Rode Code	kodeks drogowy

roof	dach
roof-rack	bagażnik na dachu
seat belt	pas bezpieczeństwa
seat	siedzenie
service station	stacja obsługi
service	warsztat samochodowy
sidelight	światełko boczne
spare parts	części zapasowe
spare petrol can	zapasowy kanister
spare wheel	koło zapasowe
sparking plug	świeca zapłonowa
speed limit	ograniczenie prędkości
sports car	samochód sportowy
steering wheel	kierownica
tank	zbiornik
taxi	taksówka
towing-line	lina holownicza
traffic jam	korek uliczny
traffic	ruch uliczny
tyre	opona
wheel	koło
window winder	korbka opuszczania szyby
windscreen	przednia szyba
windscreen wiper	wycieraczka
wing	błotnik
wing mirror	lusterko boczne
wipers	wycieraczki

WYRAŻENIA PRZYMIOTNIKOWE

careful	ostrożny
comfortable	wygodny
dangerous	niebezpieczny
driving too fast	zbyt szybka jazda
environmentally friendly	przyjazny dla środowiska
experienced driver	doświadczony kierowca
fast	szybki
modern	nowoczesny

57

old	stary
responsible	odpowiedzialny
safe	bezpieczny
spacious	przestronny
unleaded	bezołowiowy

WYRAŻENIA CZASOWNIKOWE

Look out! – Uważaj!
to be a born driver – być urodzonym kierowcą
to change seats – zamienić miejsca
to charge the battery – naładować akumulator
to check the oil – sprawdzić poziom oleju
to crash into someone's car – najechać na czyjś samochód
to drive fast – jechać szybko
to drive like a maniac – jechać jak szaleniec
to drive on – jechać dalej
to drive safely – jeździć bezpiecznie
to drive with somebody – jechać z kimś
to exceed a speed limit – przekroczyć dozwoloną prędkość
to fasten a seat belt – zapiąć pasy bezpieczeństwa
to get in – wsiadać
to get out – wysiadać
to give way – ustąpić pierwszeństwa
to have a crash – mieć wypadek (dość poważny)
to make a turn – skręcać
to move the gear lever – przesunąć dźwignię biegów
to overtake – wyprzedzać
to park – zaparkować
to pay a ticket – zapłacić mandat
to press down the pedal – nacisnąć pedał
to pump the tyres – napompować koła
to pump up – pompować
to put her in neutral – przełączyć na luz
to put in the clutch – nacisnąć pedał sprzęgła
to put the brake on – naciskać hamulec
to repair – naprawić
to run backwards – cofać się

to set off a journey – wyruszyć w podróż
to sit at the wheel – siedzieć przy kierownicy
to slow down – zwolnić
to sound the horn – trąbić klaksonem
to speed up – zwiększyć prędkość
to start the engine – puścić w ruch silnik
to stop – zahamować
to top up the tank – uzupełnić paliwo do pełna
to turn into – skręcić w
to wash a car – umyć samochód

CHARACTER AND PERSONALITY
CHARAKTER I OSOBOWOŚĆ

RZECZOWNIKI

bad temper	gwałtowne usposobienie
behaviour	zachowanie
charisma	odwaga
dishonesty	nieuczciwość
fondness	czułość
generosity	hojność
hypocrisy	hipokryzja
loyalty	wierność
meanness	skąpstwo
obstinancy	upartość
patience	cierpliwość
positive thinker	osoba myśląca pozytywnie
relationships	wrażliwość
shyness	nieśmiałość
timidity	nieśmiałość
tolerance	tolerancja
traits of character	cechy charakteru
vanity	próżność

WYRAŻENIA PRZYMIOTNIKOWE

accurate	dokładny
active	aktywny
adorable	godny uwielbienia
aggressive	agresywny
ambitious	ambitny
amenable	chętny
angry	zły
annoyed	poirytowany

bad tempered	nieopanowany
bold	odważny
brave	odważny
calm	spokojny
carefree	beztroski
cautious	ostrożny
cheerful	radosny
communitative	komunikatywny
confused	zmieszany
considerate	miły
courageous	odważny
creative	twórczy
cross	zły
determined	zdeterminowany
dishonest	nieuczciwy
disobedient	nieposłuszny
dynamic	dynamiczny
easy–going	pokojowo nastawiony
faithful	wierny
frank	szczery
friendly	przyjacielski
frightened	przestraszony
fussy	drobiazgowy
gentle	łagodny
grateful	wdzięczny
greedy	zachłanny
hard working	ciężko pracujący
helpful	pomocny
honest	uczciwy
imaginative	pomysłowy
impatient	niecierpliwy
impolite	nieuprzejmy
inquisitive	wścibski
insecure	niepewny
intelligent	inteligentny
jealous	zazdrosny
lazy	leniwy
light–hearted	niefrasobliwy
lonely	samotny
loyal	lojalny

mean	skąpy
mixed up	zmieszany
naughty	niegrzeczny
nosy	wścibski
obedient	posłuszny
optimistic	optymistyczny
original	oryginalny
over–sensitive	przewrażliwiony
passionate	gwałtowny
patient	cierpliwy
persuasive	przekonujący
placid	zrównoważony
precise	dokładny
punctual	punktualny
reflective	refleksyjny
reflective mood	refleksyjny nastrój
reliable	godny zaufania
reserved	zamknięty w sobie
rude	ordynarny
scared	przerażony
self centered	samolubny
self confident	pewny siebie
selfish	samolubny
sensitive	wrażliwy
sentimental	sentymentalny
shy	nieśmiały
sincere	szczery
snobbish	snobistyczny
sociable	towarzyski
strict	surowy
stubborn	uparty
supersticious	przesądny
suspicious	podejrzliwy
sympathetic	współczujący
talkative	gadatliwy
thoughtful	rozważny
timid	nieśmiały

tolerant	tolerancyjny
trusted	godny zaufania
vain	próżny
willing	chętny

WYRAŻENIA CZASOWNIKOWE

to attract attention – przyciągać uwagę
to be cautious about ... – być ostrożnym o ...
to be determined to do something – być zdeterminowanym, żeby coś zrobić
to be fascinated by something – być zafascynowanym przez coś
to be naturally cautious – być ostrożnym z natury
to be sociable person – być osobą towarzyską
to feel depressed – czuć się przygnębionym
to feel miserable – czuć się wstrętnie
to find somebody fascinating – zafascynować się kimś
to get angry with somebody – zezłościć się na kogoś
to have tendency to be ... – mieć tendencję do bycia ...
to lost temper – stracić panowanie nad sobą
to tend to be a bit ... – mieć tendencję do bycia nieco ...

CINEMA
KINO

RZECZOWNIKI

action	akcja
actor	aktor
actress	aktorka
adaptation	adaptacja
adventure	przygoda
advertisement	reklama
animation	animacja
audience	widownia
audition	przesłuchanie
auditorium	widownia
award	nagroda
bill	plakat, afisz, program
black and white film	czarno-biały film
colour film	film kolorowy
box-office	kasa
cable television	telewizja kablowa
camera	kamera
cameraman	kamerzysta, operator filmowy
captions	napisy
career	kariera
cartoon film	film rysunkowy
cast	obsada
censorship	cenzura
character	postać
cinemagoer	kinoman
clapperboard	klaps
close-up	zbliżenie
comedy	komedia
credit titles	napisy końcowe
criminal film	film kryminalny
critic	krytyka
crowd scene	scena zbiorowa

dialogue	dialog
director	reżyser
documentary	film dokumentalny
DVD – digital versatile disc	dvd
excerpt	fragment
exit	wyjście
extra	statysta
feature film	film fabularny
film adaptation	adaptacja filmowa
film award	nagroda filmowa
film camera	kamera filmowa
film festival	festiwal filmowy
film show	seans filmowy
film star	gwiazda fimowa
film-fan	kinoman
flashback	retospekcja
flop	klapa, fiasko
ham	aktorzyna
hero	bohater
heroine	bohaterka
high-fidelity	wysoka jakość odtwarzania
hit	hit
illusion	złudzenie, iluzja
image	wizerunek
make-up	charakteryzacja
masterpiece	arcydzieło
melodrama	melodramat
movie, picture	film
musical	musical
narration	narracja
narrator	narrator
newsreel	kronika filmowa
newsreel	kronika filmowa
Oscar	Oskar
panoranic screen	ekran panoramiczny
parody	parodia
performance	projekcja
pictures	kino
plot	fabuła
poster	plakat

premiere, first-night performance	premiera
producer	producent
production	produkcja
projection	projekcja
projector	projektor
prologue	prolog
prop	rekwizyt
repertory (repertoire)	repertuar
review	recenzja
role	rola
romantic comedy	komedia romantyczna
satire satyra	
scene	scena filmowa
scenery	sceneria
screen	ekran
screen star	gwiazda ekranu
screening	ekranizacja
screenplay (script)	scenariusz
scriptwriter	scenarzysta
seat	miejsce
slide	slajd
soap opera	opera mydlana
sound	dźwięk
sound effects	efekty dźwiękowe
soundtrack	ścieżka dźwiękowa
spoof	parodia
srime story	kryminał
star	gwiazda
story	opowieść
studio	studio
stunt	wyczyn kaskaderski
stuntman	kaskader
sub-plot	akcja drugoplanowa
subtitle	podtytuł
success	sukces
supporting role	rola drugoplanowa
synopsis	streszczenie
take	ujęcie
tear-jerker	wyciskacz łez

thriller	film sensacyjny
ticket	bilet
title role	rola tytułowa
trailer	zwiastun
version	wersja
western	wester

WYRAŻENIA PRZYMIOTNIKOWE I PRZYSŁÓWKOWE

amateurish	amatorski
amusing	zabawny
bad	lichy, niedobry
boring	nudny
brilliant	wspaniały
colour	kolorowy, barwny
corny	oklepany
famous	sławny
frightening	przerażający, straszny
from the beginning to the end	od początku do końca
in a studio	w studio
mediocre	przeciętny
moving	wzruszający
not bad	niezły
on location	w plenerze
part of (the father)	rola (ojca)
superb	świetny
well-known	znany

WYRAŻENIA CZASOWNIKOWE

a film directed by – film wyreżyserowany przez
Have you seen this film? – Czy widziałeś ten film?
How about going to the cinema? – A może pójść do kina?

The film has brought in millions of dolars. – Film zarobił miliony dolarów.
The film is just beginning. – Film właśnie się zaczyna.
The film seemed to go on for ever. – Film wydawał się ciągnąć w nieskończoność.

to act – grać
to adapt – adaptować
to appear – pojawić się, ukazać się
to appear in a film – pojawić się w filmie
to attend the film show – iść na seans filmowy
to criticise – krytykować
to direct – reżyserować
to dub – dubbingować
to film – filmować, nakręcać
to go to the movies – iść do kina
to miss – przegapić
to narrate – opowiadać
to play the part – grać rolę
to reward – nagrodzić
to set – umiejscawiać, umieszczać
to shot a film – nakręcać film
to shot a film – nakręcić film
to show a film – wyświetlić film
What time does the film begin? – O której godzinie zaczyna się film?
What's playing at the movies? – Co grają w kinie?

CLOTHES AND FASHION
UBRANIA I MODA

RZECZOWNIKI

anorak	skafander
apparel	strój, ubiór
apron	fartuch
attire	strój
baby clothes	dziecięce ubranka
balgown	suknia balowa
beard	broda
belt	pasek
bib	śliniaczek
bikini	bikini
blouse	bluzka
boutique	butik
bow tie	muszka
boxer shorts	bokserki
bra	stanik
braces	szelki
braid	warkocz
brooch	broszka
buckle	sprzączka
button	guzik
cane, stick	laska
cap	czapka z daszkiem
cape	peleryna
cardigan	sweter na guziki
changing room	przebieralnia, szatnia
changing room	przymierzalnia
closet	szafa w ścianie, garderoba
cloth	materiał, tkanina, obrus
clothes line	sznur do bielizny
clothes peg *UK,* clothespin *US*	klamerka
clothesline	sznur do wieszania bielizny
clothing	odzież

coat hanger	wieszak
collar	kołnierzyk
cords	sztruksy
costume	kostium
crochet	szydełkowa robota
dandruff	łupież
denim	teksas, dżins
design	projekt, wzór, deseń
desiner	projektant
dinner jacket	smoking
double-breasted jacket	marynarka dwurzędowa
dress	sukienka
dresser	serwantka, toaletka
dressing gown	szlafrok
dressmaker	krawcowa
dry clean	czyszczenie chemiczne
dryer	suszarka
dungarees	ogrodniczki
ermine	futro z norek
evening dress	suknia wieczorowa
fake fur	sztuczne futro
fancy dressed party	bal przebierańców
flannel	flanela
flies, fly	rozporek
flounce	falbana
footwear	obuwie
fur coat	futro
garter	podwiązka
gown	toga
haberdashery	pasmanteria
hanger	wieszak
heels	obcasy
high-heeled shoes	buty na wysokim obcasie
hipsters	biodrówki
holdall	torba
iron	żelazko
ironing	prasowanie
jumper	sweter wkładany przez głowę
jumper *UK*, sweater *US*	sweter
jumpsuit	kombinezon

knickers	majtki damskie
ladies shoes	obuwie damskie
lapel	klapa marynarki
laundry basket	kosz na pranie
leather jacket	skórzana kurtka
leotard	strój gimnastyczny
locker room	szatnia
maternity dress	suknia ciążowa
men's shoes	obuwie męskie
miniskirt	mini spódniczka
moccasins	mokasyny
mourning	strój żałobny
moustache	wąsy
muffins	rękawiczki z jednym palcem
napkin	serwetka
national	strój narodowy
nightgown	koszula nocna
nudity	nagość
nylon	nylon
outfit	strój
pair of jeans	dżinsy
panties	majtki męskie
pants *UK*, panties *US*	majtki
pantyhose	rajstopy
pinafore	fartuszek
pleat	fałda w spódnicy
polyester	poliester
pumps	czółenka
pyjamas	piżama
rags	szmaty
raincoat	płaszcz przeciwdeszczowy
robe	szlafrok
sandals	sandały
sari	tunika
scarf	chustka, apaszka
school clothes, school uniform	szkolny mundurek
shawl	peleryna
shirt	koszula
sholace	sznurowadło
single breasted suit	jednorzędowy garnitur

size	rozmiar
skirt	spódnica
slip, petticoat	halka
slippers	kapcie
sneakers *US*	trampki
socks	skarpety
soles	podeszwy
sport shoes	obuwie sportowe
stockings	pończochy
style	styl
suit	garnitur
suitcase	walizka
surplice	komża
sweatshirt	bluza z kapturem
swimsuit	kostium kąpielowy
tailor	krawiec męski
tennis shoes	tenisówki
tie	krawat
tights	rajstopy
tracksuit	dres
trainers *UK*	adidasy
trousers	spodnie
trunks	spodenki kąpielowe
T-shirt	koszulka
underwear	bielizna
uniform	mundur
veil	welon, woalka
velour	welur
velvet	aksamit
vest *US*, waistcoat	kamizelka
wardrobe	szafa
washing mashine	pralka
waterproof boots	kalosze
windgreaker	wiatrówka
winter boots	obuwie zimowe
zipper	zamek

WYRAŻENIA PRZYMIOTNIKOWE

baggy	workowaty
bare	nagi
casual	nieoficjalny, swobodny
checked	w kratkę
clothed	ubrany
comfortable	wygodny
cotton	bawełniany
darned	zacerowany
decent	przyzwoity, odpowiedni
elegant, smart	elegancki
evening	wieczorowy
fashionable	modny
fitted	pasujący
flamboyant	krzykliwy, kwiecisty
flowery	kwiecisty
formal	urzędowy, oficjalny
herringbone	w jodełkę
in bare feet	na boso
in vogue	w modzie, modny
larger size	większy rozmiar
leather	skórzany
linen	lniany
loud (colour)	krzykliwy, jaskrawy
patterned	we wzory, wzorzysty
pinstriped	w prążki
plaid	w szkocką kratę
plain	prosty
polka dotted	w kropki, w groszki
silk	jedwabny
smart	elegancki
smartly	elegancko
sold out	wyprzedane
spotted	w kółka, grochy
striped	w paski
stylish	modne, eleganckie
suede	zamszowy
tartan	w szkocką kratę

tidy	czysty, zadbany
uncomfortable	niewygodny
untidy	niedbały
velvet	atłasowy
well-dressed	dobrze ubrany
XL – extra large	bardzo duży

WYRAŻENIA CZASOWNIKOWE

Black colour is back in fashion. – Czarny kolor jest znowu modny.

Can I help you? – Czy mogę w czymś pomóc?

Does it fit? – Czy pasuje?

I am just looking – tylko się rozglądam

I want something in brown – chcę coś w brązie

I wear size... – noszę rozmiar ...

I'll have it – wezmę to

It doesn't fit. – To nie pasuje.

it fits like a glove – pasuje jak ulał

It's too tight / loose – to zbyt ciasne / luźne

sth is out of fashin – coś jest niemodne

they pinch my toes – uwierają mnie (buty) w palce

to be dressed in black – być ubranym na czarno

to be dresses in a clown costume – być przebranym w kostium klauna

to be fashionable – być modnym

to be in a disguise – być w przebraniu

to be in the nude – być nago

to be naked to the waist – być nagim do pasa

to be stark nacked – być zupełnie nagim

to button up – zapiąć guziki

to crochet – robic na szydełku, szydełkować

to darn – zacerować

to design clothes – projektować ubrania

to disguise – przebierać się za kogoś / coś

to do the loundry – robić pranie, prać

to dress up – wystroić się

to get changed – przebrać się

to get dressed – ubierać się
to get undress – rozbierać się
to grow into clothes – dorastać do ubrań
to grow out of clothes – wyrastać z ubrań
to iron – prasować
to knit – robić na drutach
to peel sth off – zrzucić coś z siebie
to pull on something – narzucić coś na siebie
to remove a stain – wywabić plamę
to serve a customer – obsługiwać klienta
to take off clothes – rozbierać się
to try (the shoes) on – przymierzać (buty)
to wear – nosić, ubierać się
to wear size – nosić rozmiar
to zip (up) – zasunąć zamek
too long / short – za długie / krótkie
What size do you wear? – Jaki rozmiar Pani nosi?

COLOURS
KOLORY

RZECZOWNIKI

color *US*	kolor
colour *UK*	kolor
dye	farba
dye-works	farbiarnia
easel	sztaluga
hue	odcień
oil-colour	farba olejna
paint	farba
palette	paleta
purple	purpura
shade	odcień
tinge	lekki odcień
water-colour	farba wodna

WYRAŻENIA PRZYMIOTNIKOWE

amaranth	amarantowy
amber	bursztynowy
apricot	morelowy
aquamarine	morski
auburn	kasztanowy
azure	błękitny
beige	beżowy
black	czarny
blackish	czarniawy
blue	niebieski
blue-grey	niebieskoszary
bluish	niebieskawy
bright	jaskrawe

bright red	jasnoczerwony
bright yellow	jasnożółty
bronze	spiżowy
brown	brązowy
carmine	karminowy
cary yellow	kanarkowy
chestnut brown	kasztanowy
coloured	kolorowany
colourful	pełny kolorów
copper	miedziany
coral red	koralowy
cream	kremowy
crimson	szkarłatny
dark	ciemne
dark blue	ciemnoniebieski
dark drown	brunatny
dark red	ciemnoczerwony
deep	głęboki
emerald-green	szmaragdowy
faded	wyblakłe
fluorescent	fluoroscencyjny
frawn	lekko brązowy
garish	krzykliwy
ginger	rudy
golden	złoty
gray *US*	popielaty
grayish *US*	szarawy
green	zielony
greenish	zielonkawy
grey	popielaty
greyish	szarawy
hazel	leszczynowy
honey	miodowy
indigo	indygo
ivory	koloru kości słoniowej
khaki	khaki
leaden	ołowianoszary
lemon	cytrynowy
light	jasne
light blue	jasnoniebieski

light brown	jasnobrązowy
light green	jasnozielony
lilac	liliowy
lurid	upiorny
magenta	karmazynowy
mahogany	mahoniowy
maroon	kasztanowy
mauve	różowoliliowy
navy blue	granatowy
olive	oliwkowy
orange	pomarańczowy
pale	blady
pastel	pastelowy
pearl-grey	perłowy
pink	różowy
primary coluor	kolor podstawowy
purple	purpurowy
red	czerwony
reddish	czerwonawy
reddish-brown	rdzawobrązowy
ruby	rubinowy
salmon pink	łososiowy
sandy	piaskowy
scarlet	szkarłatny
sea-green	seledynowy
silver	srebrny
sky blue	błękitny
steel	stalowy
subtle	subtelny
tan	żółtobrązowy
tinge	lekki odcień
turquoise	turkusowy
violet	fioletowy
vivid	żywy
walnut	orzechowy
warm	ciepły
white	biały

whitish	białawy
willow green	seledynowy
yellow	żółty
yellowish	żółtawy

WYRAŻENIA CZASOWNIKOWE

to black – czernić
to blue – barwić na niebiesko
to brown – barwić na brązowo
to colour – kolorować
to colour sth in – farbować coś na
to dye – farbować
to dye black – farbować na czarno
to green – barwić na zielono
to orange - barwić na pomarańczowo
to paint – malować
to purple – barwić na purpurowo
to red – barwić na czerwono
to white – bielić
to yellow – barwić na żółto

COMMUNICATING
POROZUMIEWANIE SIĘ

RZECZOWNIKI

acceptance, approval	akceptacja
advice	rada
accusation	oskarżenie
agreement	zgoda
calumny	potwarz
catch question	podchwytliwe pytanie
chat	gadka
chatterbox, chatterer	gaduła
complaint	skarga
compliment	komplement
confidant	powiernik
congratulations	gratulacje
curse, swear	przekleństwo
denial, refusal	odmowa
description	opis
eloquence	elokwencja
encouragement	zachęta
excude	wymówka
instruction	pouczenie
invitation	zaproszenie
mother tongue	mowa ojczysta
murmur	mruczenie
news	wiadomość
offence, abuse	obraza
opinion	opinia
orator	krasomówca
permission, permit	pozwolenie
poser	podchwytliwe pytanie
promise	obietnica
question	pytanie
regards, greetings	pozdrowienia
repetition	powtórzenie

request	prośba
rhetorical question	pytanie retoryczne
rotrum	mównica
saying	powiedzenie
silence	milczenie
speaker	mówca
speech	mowa (zdolność mówienia)
sympathy	współczucie
talk, chatter	gadanina
talkativeness	gadatliwość
threat, menace	groźba
truthfulness	prawdomówność
warning	ostrzeżenie
welcome, greeting	powitanie
wish	życzenie

WYRAŻENIA PRZYMIOTNIKOWE I PRZYSŁÓWKOWE

congratulatory	gratulacyjny
convinced	przekonany
convincing	przekonujący
direct	bezpośredni
eloquent	elokwentny
eloquently	elokwentnie
instrucive, informative	pouczający
loud	głośny
meaningful	wymowny
silent	milczący
slow	powoli
angrily	gniewnie
talkative	gadatliwy, rozmowny
threateningly, menacingly	groźnie
truthful	prawdomówny

WYRAŻENIA CZASOWNIKOWE

not to mince matters – mówić bez ogródek
soliloquize – mówić do siebie
to accept, to approve – akceptować
to accuse – oskarżać
to agree – zgodzić się
to allow, to permit – pozwalać
to answer back – odpowiadać niegrzecznie
to answer the questions – odpowiadać na pytania
to answer, to reply – odpowiadać
to ask questios – zadawać pytania
to be offended – obrazić się
to cheat, to fool – oszukać
to confirm – potwierdzać
to congratulate – powinszować
to congratulate – składać gratulacje, gratulować
to convince – przekonać
to correspond – być zgodnym
to curse, to swear - przeklinać
to describe – opisywać
to gasp – mówić bez tchu
to give one's regards – przekazać pozdrowienia
to greet – pozdrawiać
to hedge – odpowiadać wymijająco
to inform – powiadamiać
to instruct, to inform – pouczać
to keep silence, to be silent – zachować milczenie
to lodge a complaint – złożyć skargę
to make a speech – wygłosić mowę
to meet with approval – uzyskać akceptację
to murmur – mruczeć
to offence, to abuse – obrazić
to pay compliments – prawić komplementy
to present, to represent – przedstawiać
to promise – obiecywać
to recur – powtarzać się
to refuse – odmawiać
to relay the news – przekazać wiadomość

to say a prayer – odmawiać modlitwę
to say nothing – nic nie mówić
to say, to tell – powiedzieć
to slur one's words – mówić niewyraźnie
to speak English – mówić po angielsku
to speak up – mówić głośniej
to take liberties – pozwalać sobie na poufałość
to talk, to chatter – gadać
to tell lies – mówić kłamstwa
to threat, to menace – grozić
to warn – ostrzegać
to welcome, to greet – powitać

COMMUNITY
SPOŁECZEŃSTWO

RZECZOWNIKI

bigwig	gruba ryba
blue blood	błękitna krew
cannibalism	ludożerstwo
city-dweller	mieszkaniec miasta
count	hrabia
countess	hrabina
county, shire	hrabstwo
crime	przestępstwo
criminal	przestępca
dictator	dyktator
dignitary	dostojnik
diplomat	dylemat
discrimination	dyskryminacja
emblem	godło
emigrant	emigrant
emigration	emigracja
family coas of arms	herb rodowy
foreigner	obcokrajowiec
genocide	ludobójstwo
group	grupa
hannibal	ludożerca
homeless	bezdomny
housing association	spółdzielnia mieszkaniowa
humanisty, mankind	ludzkość
immigrant	imigrant
immigration	imigracja
inhabitant	mieszkaniec
intellectual	inteligent
intelligensia	inteligencja
king	król
kingdom	królestwo
knight	rycerz

middle class	klasa średnia
nation, people	naród
national emblem	godło państwowe
nationality	narodowość
nobility	szlachetność
nobility, gentry	szlachta
nobleman	szlachcic
party	partia
peasant	chłop
peasantry	chłopstwo
people	lud, ludność
political system	ustrój
prejudice	uprzedzenie
prince	książę
princess	księżniczka
queen	królowa
rasist	rasista
regent	regent
residental district	dzielnica mieszkaniowa
serf	chłop pańszczyźniany
social background	pochodzenie społeczne
social fare	opieka społeczna
socialism	socjalizm
sociology	socjologia
solidarity	solidarność
standard of life	poziom życia
stranger	obcy człowiek
tenant	mieszkaniec domu
unemployed	bezrobotny
unemployment	bezrobocie
workers	robotnicy
working class	klasa robotnicza

WYRAŻENIA PRZYMIOTNIKOWE
I PRZYSŁÓWKOWE

country, folk	ludowy
dictatorial	dyktatorski

foreign	obcy, zagraniczny
genocidal	ludobójczy
homeless	bezdomny
human	ludzki
national	narodowy
nationalist	narodowościowy
noble	szlachetny
nobly	szlachetnie
prejudiced	uprzedzony
racial	rasowy
racist	rasistowski
residental	mieszkaniowy
royal	królewski
social	społeczny
socialist	socjalistyczny
socially	społecznie
sociological	socjologiczny
solidarily	solidarnie

WYRAŻENIA CZASOWNIKOWE

to commit a crime – popełnić przestępstwo
to discriminate – dyskryminować
to emigrate – emigrować
to govern – rządzić
to immigrate – imigrować
to live – żyć
to obey the rules – przestrzegać przepisów
to persecute – prześladować
to reign – panować
to symphatise with – solidaryzować się

COMPUTER
KOMPUTER

RZECZOWNIK

access	dostęp
access time	czas dostępu
application	aplikacja
bar code	kod kreskowy
binary code	kod dwójkowy
browser	wyszukiwarka
button	przycisk
byte	bajt
CD-ROM – compact disc read-only-memory	
code	kod
command	komenda, polecenie
computer animation	animacja komputerowa
computer freak	fanatyk komputerowy
computer game	gra komputerowa
computer hardware	sprzęt komputerowy
computer network	sieć komputerowa
computer revolution	rewolucja komputerowa
computer simulation	symulacja komputerowa
computer software	oprogramowanie komputerowe
configuration	konfiguracja
cursor	kursor
data processing	przetwarzanie danych
database	baza danych
disc	dysk
document	dokument
drive	napęd
electronic mail	poczta elektroniczna
email address	adres internetowy
error	błąd
FAQ – frequently asked	często zadawane pytanie

question	
file	plik
floppy disc / diskette	dyskietka
folder	folder
freeware	darmowe oprogramowanie
GB – gigabyte	giga bajt
http – hypertext transfer	program umożliwiający
protocol	połączenie z internetem
icon	ikonka
input	informacja zawarta w komputerze
international network	międzynarodowa sieć
italics	kursywa
joystick	joystick
junk mail	reklamy internetowe wysyłane przez pocztę elektroniczną
K – kilobyte	kilo bajt
key	klawisz
keyboard	klawiatura
laptop	laptop
margin	margines
MB – megabyte	mega bajt
memory	pamięć
menu	menu
microprocessor	mikroprocesor
monitor	monitor
mouse	mysz
novelty	nowość
operating system	system operacyjny
option	opcja
output	informacja wytworzona przez komputer
overload	przeciążenie
password	hasło
PC	personal computer
personal komputer	komputer osobisty
pixel	piksel
plug	wtyczka
portable computer	komputer przenośny
power	moc, możliwości

printer	drukarka
printing	drukowanie
printout	wydruk
programme	program
programmer	programista
scanner	skaner
screen	ekran
server	serwer
setting	ustawienie
spreadsheet	arkusz kalkulacyjny
table	tabela
unlimited possibilities	nieograniczone możliwości
user	użytkownik
virtual shop	wirtualny sklep
virus / bug	wirus komputerowy
web page	strona internetowa
window	okno
word processor	edytor tekstu zadawane pytania

WYRAŻENIA PRZYMIOTNIKOWE

current	bieżący
direct	bezpośredni
electronic	elektroniczny
invalid	niewłaściwy
ready	gotowy
word processing	przetwarzanie tekstów

WYRAŻENIA CZASOWNIKOWE

to click – klikać myszką
to connect up (a printer) to a computer – podłączyć (drukarkę) do komputera
to contact by an email – kontaktować się przez pocztę elektroniczną

to copy – kopiować
to create – tworzyć
to delete / to erase a file – usuwać, wymazywać plik
to display / to call somethinh up – wyświetlić coś na monitorze
to download a file – kopiować plik
to enter a password – wprowadzić hasło
to exit / to quit – wyjść
to extend – rozszerzać
to find – znaleźć
to get an email – otrzymać pocztę elektroniczną
to install – instalować
to key something in – wprowadzić informację przy pomocy
klawiatury
to load – ładować
to log in / on – zalogować się
to log off / out – wylogować się
to operate a computer programme – obsługiwać program
komputerowy
to press – nacisnąć
to print (out) a letter – wydrukować list
to scan – skanować
to search – szukać
to underline a word – pokreślić słowo
to verify / to check – sprawdzić
to write / to save a file – zapisywać, zachowywać plik w pamięci
komputera

COUNTRY
WIEŚ

RZECZOWNIKI

agriculture	rolnictwo
alpine village	alpejska wioska
axe	siekiera
barley	jęczmień
barn	stodoła
barnyard	podwórze
bee-keeper	pszczelarz
cereal	zboże
combine harvester	kombajn zbożowy
croft	zagroda
crop	plon
crops	zbiory
custom	zwyczaj
dairy	mleczarnia, sklep nabiałowy
dairy farm	farma mleczna
development in agriculture	rozwój w rolnictwie
ditch	rów
ear	kłos
farm, homestead	gospodarstwo
farmer	rolnik, gospodarz
farmhouse	zagroda
farming	rolnictwo, gospodarka rolna
farmstead	zagroda z zabudowaniami
folk costume	strój ludowy
folk dance	taniec ludowy
grain	ziarno
grower	hodowca
hamlet	bardzo mała wieś
harrow	brona
harvest	żniwa, plon
harvest festival	dożynki
hay	siano

haystack	stóg siana
highland village	górska wioska
hospitality	gościnność
huge estate	ogromna posiadłość ziemska
husbandary	gospodarka rolna
idyll	sielanka
ladder	drabina
maize	kukurydza
manor house	rezydencja wiejska (dworek)
meadow	łąka
mixed farm	gospodarstwo mieszane
nature	przyroda
oats	owies
organic	organiczny
peasant	chłop
pitchfork	widły
plantation	plantacja
plough	pług
poultry farm	gospodarstwo drobiarskie
ranch	ranczo
rye	żyto
scarecrow	strach na wróble
scythe	kosa
seedling	sadzonka
self-sufficient	samowystarczalny
settlement	osada
sheaf	snop
sickle	sierpień
simplicity	prostota
soil	gleba, ziemia
sowing	siew
sowing machine	siewnik
state farm	państwowe gospodarstwo rolne
stock farm	gospodarstwo hodowlane
straw	słoma
tractor	traktor
village / country	wieś
village shop	klep wiejski
villager, countryman	mieszkaniec wsi

wheat	pszenica
wheaten	pszenny
yield	plon

WYRAŻENIA PRZYMIOTNIKOWE

agricultural	rolniczy
beautiful little village	śliczna, mała wioska
fresh	świeży
hard-working	pracowity
home-made	domowej roboty
provincial	prowincjonalny
ripe	dojrzały
rural character	wiejski, sielski charakter
traditional	tradycyjny

WYRAŻENIA CZASOWNIKOWE

Living in the country has never been easy. – Życie na wsi nigdy nie było łatwe.

the wheat has ripen in the sun – pszenica dojrzała w słońcu

this village is cut off the world – ta wieś jest odcięta od świata

to plough – orać

to be glad about peace – cieszyć się spokojem

to buy some land – kupić trochę ziemi

to come from the country – pochodzić ze wsi

to crop – dawać plony

to cultivate the land – uprawiać ziemię

to fish – łowić ryby

to get up early – wstawać wcześnie

to grow – uprawiać

to grow fruit and vegetables – uprawiać warzywa i owoce

to irrigate – nawadniać

to live in the country – żyć na wsi

to live peacefully – żyć spokojnie

to reap – żąć, zbierać

to sow the seeds – wysiewać nasiona
to spend a week in the country – spędzić tydzień na wsi
to work hard in the fields – pracować ciężko w polu
to yield – zbierać plon

CRIME AND THE LAW
ZBRODNIA I PRAWO

RZECZOWNIKI

accomplice	współwinny
against the rules	wbrew regułom
alimony	alimenty
amnesty	amnezja
arson	podpalenie
assault and battery	czynna napaść
bail	kaucja
barrister	adwokat
blackmail	szantaż
blackmailer	szantażysta
bribery	łapówkarstwo
burglar	włamywacz
capital punishment	kara śmierci
counsel for the defence	obrońca
counsel for the prosecution	oskarżyciel
court	sąd
criminal	zbrodniarz
custody	areszt
damages	odszkodowania
defence	obrona
detective inspector	detektyw
divorce	rozwód
espionage	szpiegostwo
evidence	dowód
execution	egzekucja
fine	grzywna
forger	fałszerz
forgery	fałszerstwo
hijacker	porywacz samolotów
hijacking	porwanie samolotu
hold-up	napad rabunkowy
hooligan	chuligan

hostage	zakładnik
imprisonment	uwięzienie
innocence	niewinność
judge	sędzia
judgement	wyrok
judicature	wymiar sprawiedliwości
jury	sąd przysięgłych
justice	sprawiedliwość
kidnapper	porywacz
kidnapping	porwanie
lawyer	prawnik
libel	oszczerstwo pisemne
life imprisonment	dożywocie
life sentence	wyrok śmierci
manslaughter	zabójstwo
murderer	morderca
notary public	notariusz
offence	wykroczenie
pickpocket	kieszonkowiec
police station	komisariat
prison	więzienie
prohibition	zakaz
proof	dowód
property	własność
prosecution	dochodzenie sądowe
prosecutor	oskarżyciel sądowy
public prosecutor	prokurator
punishment	kara
robber	rabuś
robbery	rozbój
rule	zasada
sentence	wyrok
shoplifter	złodziej kradnący w sklepach
shoplifting	kradzież ze sklepów
smuggler	przemytnik
smuggling	przemyt
statement	zeznanie
suspect	podejrzany
suspended sentence	wyrok z zawieszeniem
testimony	zeznanie

theft	kradzież
thief	złodziej
trial	rozprawa sądowa
vandal	włamywacz
verdict	werdykt
wallet	portfel
warning	ostrzeżenie
warrant of arrest	nakaz aresztowania
wife battering	znęcanie się nad żoną
witness	świadek

WYRAŻENIA PRZYMIOTNIKOWE I PRZYSŁÓWKOWE

burglar alarm	alarm przeciwwłamaniowy
corporal punishment	kara cielesna
criminal	zbrodniczy
guilty	winny
illegal	nielegalny
illegally	nielegalnie
innocent	niewinny
main suspect	główny podejrzany
masked man	zamaskowany mężczyzna
prohibited	zakazany
stolen goods	skradzione dobra

WYRAŻENIA CZASOWNIKOWE

to accuse of sth – oskarżać o coś
to appeal – odwoływać się
to arrest – aresztować
to be behind the bars – być za kratkami
to be under arrest – być zatrzymanym
to break into a house – włamać się do domu
to breake the law – złamać prawo

to catch - złapać
to charge with sth – oskarżać o coś
to cheat – oszukiwać
to convict - skazać
to do sth against the law – robić coś wbrew prawu
to get away with sth – uniknąć kary
to go to prison – iść do więzienia
to hold up – napadać
to imprison - uwięzić
to institute legal proceedings – wszcząć postępowanie sądowe
to judge - sądzić
to make a statement – zeznawać
to murder – zamordować
to prohibit – zakazać
to rob – okradać
to search for sth – szukać czegoś
to suspect - podejrzewać
to testify – zeznawać
to sentence - skazać
to answer the question – odpowiedzieć na pytania
to win a case – wygrać sprawę
to ban – zakazać
to commit the crime – popełnić przestępstwo
to take to the court – pozwać do sądu
to steal – kraść
to kill - zabić
to be sentenced to six months – być skazanym na sześć miesięcy

DISASTERS AND ACCIDENTS
KATAKLIZMY I WYPADKI

RZECZOWNIKI

accident	wypadek
avalanche	lawina
blast	wybuch
bomb	bomba
cause of the accident	przyczyna wypadku
collision	kolizja
crack	pęknięcie
crash	łomot
damage	uszkodzenie
danger	niebezpieczeństwo
death	śmierć
debris	gruzy
destruction	destrukcja
difficulties	trudności
drought	susza
earth tremor	wstrząs ziemi
earthquake	trzęsienie ziemi
electric shock	porażenie prądem
emergency	stan wyjątkowy
explosion	eksplozja
fear	strach
fire-fighter	strażak
first aid kid	apteczka pierwszej pomocy
flood	powódź
gas explosion	wybuch gazu
gas leak	wyciek gazu
herione	bohaterka
hero	bohater
hospital	szpital
impact	uderzenie
injure	obrażenie
plane crash	katastrofa samolotowa

predictions	przewidywania
quake	wstrząs
rescue	ratunek
sabotage	sabotaż
scald	oparzenie
shipwreck	rozbitek
smell of smoke	zapach dymu
survivor	rozbitek
tragedy	tragedia
trauma	wstrząsające przeżycie
tremor	drżenie
typhoon	tajfun
under debris	pod gruzami
volcanic eruption	wybuch wulkanu
witness	świadek

WYRAŻENIA PRZYMIOTNIKOWE

amazing rescue	cudowne ocalenie
lifeboat crew	załoga ratunkowa
like a bolt from the blue	jak grom z jasnego nieba
massive earthquake	potężne trzęsienie ziemi
missing	zaginiony
nuclear explosion	eksplozja nuklearna
powerful earthquake	pełne mocy trzęsienie ziemi
protective clothing	ochronne ubrania
rescue operation	akcja ratunkowa
serious injures	poważne obrażenia
severe damages	poważne uszkodzenia
technical problem	problem techniczny
terrorist attack	atak terrorystów
urgent	pilny

WYRAŻENIA CZASOWNIKOWE

It never rains but it pours. – Nieszczęścia chodzą parami.
to battle with the fire – walczyć z ogniem
to be a storm in a tea cup – być burzą w szklance wody
to be discharged – być wypisanym ze szpitala
to be in danger – być w niebezpieczeństwie
to be scared – być przerażonym
to be taken to hospital – być wziętym do szpitala
to be terrified of sth – panicznie się czegoś bać
to be trapped – zostać złapanym w pułapkę
to break out - wybuchać
to catch fire – złapać ogień
to collapse – zawalić się
to crash – rozbić się
to deal with sth – poradzić sobie z czymś
to destroy - zniszczyć
to devastate - dewastować
to die – umrzeć
to evacuate – ewakuować
to experience sth – doświadczyć czegoś
to explode – eksplodować
to extinguish the fire – zdławić ogień
to hit sth – uderzyć coś
to hurt oneself – skaleczyć się
to leave a house – opuścić dom
to play with fire – igrać z ogniem
to rock – kołysać
to ruin - rujnować
to save – ocalić
to severely damage – poważnie uszkodzić
to shake – trząść
to shatter – roztrzaskać
to sink – zatonąć
to skid – poślizgnąć się
to spread rapidly – rozprzestrzeniać się gwałtownie
to stay calm – zachować spokój
to strenghten sth – wzmocnić coś
to suffer from injures – cierpieć z powodu obrażeń
to take shelter under sth – schronić się pod coś

ECOLOGY
EKOLOGIA

RZECZOWNIKI

air pollution	zanieczyszczenie powietrza
atmosphere	atmosfera
bottle bank	punkt skupu butelek
carbon dioxide	dwutlenek węgla
chemicals	chemikalia
conservation	ochrona środowiska
contamination	zatrucie
decimation	zdziesiątkowanie
deforestation	wycinanie lasów
depletion	wyczerpanie
depletion of the ozone layer	degradacja warstwy ozonowej
drought	susza
dumping place	wysypisko śmieci
ecofreak	fanatyk ekologii
ecological campaign	kampania ekologiczna
emission	emisja
environment	środowisko
environmental protection	ochrona środowiska
exhaust gases	spaliny
exploitation of forests	eksploatacja lasów
extinction	wymarcie
extinction of many species	wymieranie wielu gatunków
farming techniques	metody uprawiania ziemi
fertilizers	nawozy
flood	powódź
fumes	spaliny
garbage heap	stos śmieci
global warming	globalne ocieplenie
greenhouse effect	efekt cieplarniany
industrial waste	odpady przemysłowe
litter	śmieci
misuse	nadużycie

national park	park narodowy
natural habitat	środowisko naturalne
natural resources	bogactwa naturalne
oil spills	wycieki ropy
ozone hole	dziura ozonowa
ozone layer	warstwa ozonowa
pesticides	pestycydy
pollution	zanieczyszczenie
population	ludność
recycling center	skup surowców wtórnych
respiratory illnesses	choroby oddechowe
sewage	ścieki
soil	gleba
soil-erosion	erozja gleby
solar energy	energia słoneczna
species	gatunki
tanker leaks	przecieki z tankowców
violation of ecological balance	naruszenie równowagi ekologicznej
waste paper	makulatura
water contamination	zanieczyszczenie wody
water supply	zasoby wodne
wildlife habitat	środowisko naturalne

WYRAŻENIA PRZYMIOTNIKOWE

acid rains	kwaśne deszcze
biodegradable	ulegające rozkładowi
degradable	ulegające degradacji
disposable	ulegające degradacji
ecologically safe	nieszkodliwe dla środowiska
emvironmentally conscious	świadomy zagrożeń środowiskowych
endangered species	zagrożone gatunki
environmentally friendly	przyjazny dla środowiska
non-disposable	nie ulegające degradacji
noxious	szkodliwe
plastic container	plastikowy pojemnik

103

polluted	zanieczyszczone
recycled	przetworzone
unfit for use	niezdatny do użycia
unleaded petrol	benzyna bezołowiowa
unpolluted	nie zanieczyszczone
wild animals	dzikie zwierzęta

WYRAŻENIA CZASOWNIKOWE

to absorb – wchłaniać
to be environmentally conscious – być świadomym zagrożeń środowiskowych
to be green – być przyjaznym dla środowiska
to be in danger of dying out – być zagrożonym wymarciem
to become extinct - wyginąć
to burn - spalać
to clean up – sprzątać
to contaminate – zanieczyścić
to counteract – przeciwdziałać
to cut down - wycinać
to decimate – zdziesiątkować
to destroy - niszczyć
to dump – wyrzucać
to emit – emitować
to expel – wydalać
to neglect - zaniedbywać
to poison – zatruwać
to pollute – zanieczyścić
to preserve nature – ochraniać naturę
to protect – chronić
to protect the environment – ochraniać środowisko naturalne
to recycle - przetwarzać
to re-use bottles – używać butelek zwrotnych
to safe energy – oszczędzać energię
to sustain life – podtrzymywać życie

ECONOMICS AND BUSINESS
EKONOMIA I BIZNES

RZECZOWNIKI

account	konto, rachunek
account number	numer konta
accountancy, bookkeeping	księgowość
accountant, bookkeeper	księgowy
advertisement	reklama prasowa
amount	ilość
balance	saldo
balance of payment	bilans płatniczy
bank	bank
black market	czarny rynek
board meeting	zebranie zarządu
bookmaker	bukmacher
bribery	przekupstwo, łapówkarstwo, łapówka
business	sprawa, interes, biznes, przedsiębiorstwo, działalność gospodarcza
business trip	podróż służbowa
busking	domokrąstwo
buyer	kupujący
car auction	giełda samochodowa
checque	czek
commerce	handel
commercial	reklama handlowa
commission	prowizja
commodity, merchandise	towar
community charge	podatek lokalny
compact	porozumienie, umowa
company	spółka, towarzystwo
complaint	reklamacja
conract, agreement	umowa
corporation	spółka

credit	kredyt
creditir	wierzyciel
cupidity	chciwość, zachłanność
currency	waluta
custom, duty	cło
customs	punkt odprawy celnej
debt	dług
debtor	dłużnik
deliverer, supplier	dostawca
delivery, supply	dostawa
demand, rush	popyt
devaluation	dewaluacja
economies, savings	oszczędności
economist	ekonomista
economy	gospodarka, oszczędność
empire	imperium
employee	pracownik
employer	pracodawca
employment	zatrudnienie
employment exange	giełda pracy
enterprise	przedsiębiorstwo
exange	giełda
expenditure	wydatki
export	eksport
exporter	eksporter
fair	targi
firm	firma
fixed price	cena stała
foreign trade	handel zagraniczny
gross national product	produkt krajowy brutto
hire purchase	sprzedaż / kupno na raty
home market	rynek krajowy
husbandry, farming	gospodarka rolna
import	import
importer	importer
income	zysk
income tax	podatek dochodowy
installment	rata
insurance	ubezpieczenie
interest	odsetki

interest rate	stopa procentowa
International Monetary Found	Międzynarodowy Fundusz Walutowy
inventory	remanent
investment	inwestycja
labour force	siła robocza
management	zarząd, kierownictwo
management	zarządzanie
manager	kierownik, dyrektor, menedżer
market	rynek, targ, zbyt
market economy	gospodarka rynkowa
market value	wartość rynkowa
marketplace	targowisko
merchant, trader	kupiec
offer, tender	oferta
order	zamówienie
overtime	godziny nadliczbowe
partnership	spółka
patrner	wspólnik
pawnshop	lombard
pay	zapłata
pay system	system płac
PAYE – pay-as-you-earn	podatek od dochodów
payee	odbiorca (pieniędzy)
payer	płatnik
paymaster	kasjer
payment	opłata
pay-roll	lista płac
price	cena
price list	cennik
privete limited company	prywatna spółka z o.o.
profit, gain	zysk
purchase	kupno
quality	jakość
quota	kontyngent
rate of inflation	stopa inflacji
rates of exange	kursy walut
ready market	rynek zbytu
reasonable price	cena umiarkowana
recession	recesja

reduced price	cena obniżona
reform	reforma, reformowanie
reformer	reformator
retail price	cena detaliczna
revenue office	urząd podatkowy
sale	sprzedaż
secretary	sekretarka
securities	papiery wartościowe
share	udział
shareholder	współudziałowiec
show room	salon wystawowy
state-owned company	przedsiębiorstwo państwowe
stock	akcja
Stock Exange	giełda papierów wartościowych
stosckholder	akcjonariusz
supply of services	świadczenie usług
Suprvisory Board	rada nadzorcza
tax	podatek, obciążenie
tax exemption	zwolnienie od podatku
taxation	opodatkowanie
taxpayer	podatnik
time saving	oszczędność czasu
trade	branża, handel
trade mark	znak fabryczny
trade balance	bilans handlowy
trade contract	umowa handlowa
trade union	związek zawodowy
trader, tradesman	handlowiec
traffic	nielegalny handel
transaction, deal	transakcja
transfer, remittance	przelew
unemployment	bezrobocie
value	wartość
VAT- value added tax	podatek od wartości dodanej
wages, pay, salary	płaca
wholesale	hurt
wholesale price	cena hurtowa
workmanship	jakość wykonania
world market	rynek światowy

WYRAŻENIA PRZYMIOTNIKOWE I PRZYSŁÓWKOWE

advertising	reklamowy
businesslike	rzeczowy
cheap, inexpensive	tani
competitive	konkurencyjny
corporate	zbiorowy
duty free	wolny od cła
economical	oszczędny
economically , thriftily	oszczędnie
economy	ekonomiczny
exorbitant	wygórowany
expensive	drogi
frugal	oszczędny, skromny
high quality	wysoka jakość
market	rynkowy
on installment	na raty
outstanding	zaległy (np. dług)
payable	płatny
profitable, gainful	zyskowny
tax	podatkowy
taxable	podlegający opodatkowaniu
unprofitable	nieopłacalny
valuable, precious	cenny

WYRAŻENIA CZASOWNIKOWE

How much is it? – Ile to kosztuje?
I have taxed. – Zapłaciłem podatek.
to advertise – reklamować
to bankrupt - zbankrutować
to bargain – targować się
to bribe – przekupić
to buy - kupować
to buy a pig in a poke – kupić kota w worku

to buy on credit – kupować na kredyt
to carry an activity – prowadzić działalność
to commute – dojeżdżać (do pracy)
to economise, to save, to spare – oszczędzać
to employ – zatrudniać
to exempt from duty – zwolnić od cła
to export – eksportować
to gain – zyskać
to import – importować
to impose a duty – nakładać cło
to levy taxes – nakładać podatki
to lodge a complaint – złożyć reklamację
to make a good deal – zrobić dobry interes
to pay – płacić, spłacić
to pay by cheque – płacić czekiem
to pay in cash – płacić gotówką
to reform – reformować
to run a business – prowadzić interes
to share profits – dzielić zyski
to strike a bargain – dobić targu
to subsidise - subsydiować
to take up credit – wziąć kredyt
to tax – opodatkować, obciążyć
to trade - handlować
to waste the time – tracić czas

EMOTIONS AND FEELINGS
EMOCJE I UCZUCIA

RZECZOWNIKI

aggressiveness	agresja
benefit	pożytek
bighead	zarozumialec
boaster	samochwała
breakdown	załamanie (nerwowe, psychiczne)
calamity	nieszczęście, niedola
chuckle, gigle	chichot
complacency	zadowolenie
depression	depresja
dissatisfaction	niezadowolenie
egoist	egoista
friendship	przyjaźń
fun	zabawa
fusspot	zrzęda
gestures	gesty
glance	spojrzenie
grin	szeroki uśmiech
human nature	ludzka natura
influence	wpływ
joke	żart
know-all	człowiek nieomylny
laughter	śmiech
lonelyness	samotność
malcontent	malkontent
man of worth	człowiek wartościowy
mental balance	równowaga umysłowa
mimicry	mimika
mood	nastrój
optimism	optymizm
optimist	optymista
pessimist	pesymista

pleasure	przyjemność
positive attitude	pozytywne nastawienie
positive thinking	pozytywne myślenie
practical joke	psikus
quality	przymiot, cecha
sense of humour	poczucie humoru
shyness	skromność
smile	uśmiech
snobbery	snobizm
sorrow	smutek, żal
suffering	cierpienie
tension	napięcie
tiredness	zmęczenie
weakness	słabość
wisecrack	dowcip

WYRAŻENIA PRZYMIOTNIKOWE I PRZYSŁÓWKOWE

(a smile) from ear to ear	(uśmiech) od ucha do ucha
ambitious	ambitny
angry	zły, poirytowany
beset	osaczony
boring	nudny
buoyant	pełen optymizmu, pogodny
cheerful	pogodny, radosny
courageous	odważny
energetic	energiczny
envious	zazdrosny
frank	szczery
glad	zadowolony
great joy	wielka radość
greedy	chciwy
healthy lifestyle	zdrowy tryb życia
impatient	niecierpliwy
inescapable	nieuchronny, nieunikniony
jealous	zazdrosny
lonely	samotny

lucky	mający szczęście
nervous	nerwowy
passive	bierny
prone	skłonny
proud	dumny
reserved	pełen rezerwy
resolute	rezolutny
self-confident	pewny siebie
selfish	samolubny
sentimental	samolubny
sny	nieśmiały
sincere	szczery
sociable	towarzyski
spirited	pełen werwy, śmiały
stressful (lifestyle)	stresujący (styl życia)
successful	pomyślny, szczęśliwy, udany
tolerant	tolerancyjny
unattractive	nieatrakcyjny
unjustly	niesprawiedliwie
willing	chętny
worried	zmartwiony

WYRAŻENIA CZASOWNIKOWE

He laugh best who laughs last. – Ten się śmieje, kto się śmieje ostatni.
time of stress – okres napięcia nerwowego
to be always depressed – być ciągle przygnębionym
to be born pessimist – być urodzonym pesymistą
to be cheerful – być pogodnym
to be conceived – być zarozumiałym
to be enviuosof something – być zazdrosnym o coś
to be in a bad mood – być w złym nastroju
to be in a good mood – być w dobrym nastroju
to be in high spirits – być w doskonałym humorze
to be optimistic – być pełnym optymizmu
to be over the moon – nie posiadać się z radości
to be rejected – być odrzuconym

to be too sensitive – być zbyt wrażliwym
to be unbalanced – być niezrównoważonym
to be unworthy of anyone's notice – być niegodnym czyjejś uwagi
to be vain – być próżnym
to be witty – być dowcipnym
to burst one's sides with laughter – śmiać się do rozpuku
to burst out laughing – wybuchnąć śmiechem
to complain – skarżyć się
to control stress – kontrolować stres, panować nad stresem
to die with laughter – umrzeć ze śmiechu
to enjoy life – cieszyć się życiem
to enjoy sth – cieszyć się czymś
to feel anxious – czuć się nieswojo, niespokojnie
to feel uncomfortable – czuć się nieswojo
to fly into passion – wpaść w gniew
to fret – martwić się
to get irritated – irytować się, denerwować
to grin like a Cheshire cat – śmiać się od ucha do ucha
to have a good sense of humour – mieć duże poczucie humoru
to have a laugh – pośmiać się
to have a negative attitude to life – mieć negatywne nastawienie do życia
to heal body and soul – leczyć ciało i duszę
to laugh – śmiać się
to laugh aloud – śmiać się głośno
to pretend – udawać
to relieve – złagodzić
to relieve stress – złagodzić stres
to restrain emotions – pohamować uczucia
to roar with laughter – ryczeć ze śmiechu
to suffer from a depression – cierpieć na depresję
under the stress of anger – pod wpływem zdenerwowania

FAMILY
RODZINA

RZECZOWNIKI

an only child	jedynak, jedynaczka
ancestors	przodkowie
aunt	ciotka
baby / infant	niemowlę
bachelor	kawaler
broken home	rozbita rodzina
brother	brat
brother-in-law	szwagier
brotherly love	miłość braterska
clan	klan
conflict	konflikt
forefathers	przodkowie
cousin	kuzyn
daughter	córka
daughter-in-law	synowa
descendant	potomek
divorce	rozwód
dynasty	dynastia
extended family	dalsza rodzina
family business	rodzinny interes
family mamber	członek rodziny
family name	nazwisko
family tree	drzewo rodzinne
(genealogiczne)	
father / daddy /pop *US*	ojciec, tata / tatuś
Father's Day	dzień ojca
father-in-law	teść
forename / first name /	pierwsze imię
Christian name	
foster-child	dziecko przybrane
foster-father	przybrany ojciec
foster-mother	przybrana matka

generation	pokolenie
godchild	chrześniak
godfather	ojciec chrzestny
godmother	matka chrzestna
governess	guwernantka
grandchildren	wnuki
grandfather / grandpa	dziadek
grandmother / gran	babcia
grandparents	dziadkowie
great-grandchild	prawnuk
half-brother/ step-brother	brat przyrodni
half-sister / step-sister	siostra przyrodnia
heredity	dziedziczność
home / family-life	życie rodzinne
housekeeping	prowadzenie domu
housework	prace domowe
husband	mąż
in-laws	teściowie
maiden name	nazwisko panieńskie
maintenance	alimenty
marriage	małżeństwo
middle / second name	drugie imię
mother / mummy /mum *US*	mama / mamusia
Mother's Day	dzień matki
mother-in-law	teściowa
nephew	siostrzeniec
next of kin	najbliższy krewny
niece	siostrzenica
noble family	szanowana rodzina
numerous family	rodzina wielodzietna
origin	pochodzenie
orphan	sierota
orphanage	sierociniec
parenthood	rodzicielstwo
parents	rodzice
raising children	wychowywanie dzieci
relatives	krewni
royal family	rodzina królewska
siblings	rodzeństwo
single father	samotny ojciec

single mother	samotna matka
single–parent-family	niepełna rodzina
sister	siostra
sister-in-law	szwagierka
son	syn
son-in-law	zięć
stepdaughter	pasierbica
stepfather	ojczym
stepmother	macocha
stepson	pasierb
surname / last name	nazwisko
twins	bliźnięta
uncle	wujek
unmarried woman	panna
upbringing	wychowanie
widow	wdowa
widower	wdowiec
wife	żona

WYRAŻENIA PRZYMIOTNIKOWE I PRZYSŁÓWKOWE

divorced	rozwiedziony
domestic	domowy
elder / big brother	starszy brat
elder / big sister	starsza siostra
illegitimate	nieślubny
lonely	samotna
married	zamężny
motherly	matczyny
no relation to	nie spokrewniony z
parental	rodzicielski
paternal	ojcowski
patient	cierpliwy
she is a family women	jest oddana rodzinie
sisterly	siostrzany
under the same roof	pod jednym dachem
your own flesh and blood	członek twojej rodziny

WYRAŻENIA CZASOWNIKOWE

make yourself at home – czuj się jak w domu
to be fond of home-life – lubić życie rodzinne
to be orphaned – zostać osieroconym
to be related to somebody – być z kimś spokrewnionym
to be very close to one's sister / brother – być bardzo
przywiązanym do brata / siostry
to bring up children – wychowywać dzieci
to care for – dbać, troszczyć się
to devote to a family – poświęcić się dla rodziny
to follow in somebody's footsteps – pójść w czyjeś ślady
to get divorced – rozwieść się
to get married – ożenić się
to get on well with somebody – dobrze żyć z kimś
to give birth to a child – urodzić dziecko
to grow up – dorastać
to have love for kids – kochać dzieci
to have something in a blood – mieć coś we krwi
to help around the house – pomagać w domu
to live home – opuścić dom
to live in separation – żyć w separacji
to live somewhere for genertions – żyć gdzieś od pokoleń
to look after the children – zajmować się dziećmi
to marry someone – poślubić kogoś
to miss someone – tęsknić za kimś
to quarrel – kłócić się
to raise one's own family – założyć własną rodzinę
to rely on somebody – polegać na kimś
to solve problems – rozwiązywać problemy
to spoil – psuć, rozpieszczać
to start a family – założyć rodzinę
to take after somebody – być do kogoś podobnym
to take good care of the family – dbać, troszczyć się o rodzinę

FOOD
JEDZENIE

K feet.
Receipt

RZECZOWNIKI

bacon	boczek
beans	fasolka
beef	wołowina
beer	piwo
bill	rachunek
bowl	miska
bottle	butelka
bottle opener	chleb
breakfast	śniadanie
butter	masło
café	kawiarnia
cake	ciasto
cereals	kasza
chicken soup	rosół
chips	frytki
chocalate	czekolada
chop	kotlet
course	danie
cream	krem
cup	filiżanka
dish	potrawa
dishwasher	zmywarka do naczyń
dinner	obiad
dumplings	knedle
egg	jajko
filleted fish	filety
fish	ryba
food mikser	mikser elektryczny
fork	widelec

119

frying pan	patelnia
glass	kieliszek, szklanka
grapes	winogrona
grilled chicken	kurczę z rożna
ham	szynka
hard–boiled eggs	jajka na twardo
herring	śledź
ice–cream	lody
jar	słoik
jelly	galaretka
jug	dzbanek
kettle	czajnik elektryczny
knife	nóż
leftovers	resztki
lettuce	sałata
liver	wątróbka
meat	mięso
menu	jadłospis
mustard	musztarda
mug	kubek
napkin	serwetka
noodles	kluski
omelette	omlet
pancakes	naleśniki
pate	pasztet
peas	groszek
pepper	pieprz
plate	talerz
pork	wieprzowina
potatoes	ziemniaki
potato pancakes	placki ziemniaczane
pudding	budyń
ribs	żeberka
rice	ryż
salad	sałatka
salt–cellar	solniczka
salt	sól
sandwich	kanapka
saucepan	rondel
scrambled eggs	jajecznica

self–service	samoobsługa
sauce	sos
sausage	kiełbasa
second helping	dokładka
soft–boiled eggs	jajka na miękko
spoon	łyżka
steak	befsztyk
sugar	cukier
sugar bowl	cukiernica
supper	kolacja
table	stół
table–cloth	obrus
tea	herbata
tray	taca
teaspoon	łyżeczka do herbaty
tin opener	otwieracz do konserw
tip	napiwek
toast	grzanka
toaster	toster
veal	cielęcina
vegetable	warzywo
vinegar	ocet
wine	wino

WYRAŻENIA PRZYMIOTNIKOWE

braised meat	mięso duszone
crude milk	zsiadłe mleko
dry wine	wino wytrawne
fresh bread	świeży chleb
fried eggs	jajka sadzone
fried meat	mięso smażone
frozen peas	mrożony groszek
fruit salad	sałatka owocowa
instant coffee	kawa rozpuszczalna
main course	danie główne
meat salad	pieczeń wołowa
roast duck	kaczka pieczona

roast pork	pieczeń wieprzowa
roast turkey	indyk pieczony
roast veal	pieczeń cielęca
sparkling mineral water	gazowana woda mineralna
stale bread	czerstwy chleb
stewed meat	mięso gotowane
stewed chicken	kurczę gotowane
still mineral water	niegazowana woda mineralna
tomato soup	zupa pomidorowa
vegetable soup	zupa jarzynowa
vegetable salad	sałatka warzywna

WYRAŻENIA CZASOWNIKOWE

to ask for large portion – poprosbić o większą porcję
to boil over – wykipieć
to book a table – zarezerwować stolik
to bring a bill – przynieść rachunek
Cheers! – Na zdrowie!
to cut down on fatty food – ograniczać tłuste jedzenie
to do the washing–up – zmywać
Enjoy your meal ! - Smacznego!
to grate some cheese – zetrzeć trochę sera
Have ypu got a sweet tooth ? – Czy lubisz słodycze ?
Help yourself. – Poczęstuj się.
to melt sugar – rozpuścić cukier
to peel the potatoes – obierać ziemniaki
to recommend a good restaurant – polecać dobrą restaurację
to slice meat – pokroić mięso
Small coffee, please. – Poproszę małą kawę.
to stir - mieszać
to warm up - podgrzewać
What`s a speciality of restaurant ? – Jaka jest specjalność
restauracji ?

FOREST
LAS

RZECZOWNIKI

acacia	akacja
acorn	żołądź
agaric	gąska
alder	olcha
ant	mrówka
ant-hill	mrowisko
ash	jesion
asp(en)	osika
badger	borsuk
bark	kora
bear	niedźwiedź
beech	buk
beech grove	buczyna
beech timber	drzewo bukowe
beetle	żuk
berry	jagoda
billberry	borówka, czarna jagoda
birch	brzoza
birch	brzoza
blackberry	jeżyna
blackbird	kos
boar	dzik
boletus	borowik
bough	konar
branch	gałąź
brown ring boletus	maślak
bud	pąk
burrow	nora, jama
bush, shrub	krzak
cap, pileus	kapelusz grzyba
cep	borowik szlachetny
chanterelle	kurka

chestnut	kasztan
chestnut-tree	kasztanowiec
clearing	polana
cone	szyszka
cricket	świerszcz
crown	korona
cuckoo	kukułka
decidious tree	drzewo liściaste
deer, stag	jeleń
eagle	orzeł
echo	echo
fern	paproć
fir (-tree)	jodła
flora	szata roślinna
fly	mucha
flybane, toadstool	muchomor
foliage, leaves	listowie
forest district	leśnictwo (obszar)
forest management	gospodarka leśna
forester, forest guard	leśniczy, leśnik
forester's house	leśniczówka
forestry	leśnictwo (dziedzina wiedzy)
fox, vixen	lisica
gamekeeper	gajowy
grove	gaj
hare	zając
hazel	leszczyna
hedgehog	jeż
hollow	dziupla
honey fungus	opieńka
hoopoe	dudek
hornbeam	grab
hunter, huntsman	myśliwy
hunting, shooting	myśliwstwo
juniper	jałowiec
leaf	liść
leaves	liście
lime-tree	lipa
lumberman, woodcutter	drwal
maple	klon

May-bug	chrabąszcz
mosquito, gnat	komar
moss	mech
mushroom spawn, mushrooming	grzybnia
mushroom, fungus	grzyb
National Park	Park Narodowy
needle	igła
nursery	szkółka leśna
oak	dąb
owl	sowa
path	ścieżka
pedicle	nóżka grzyba
pheasant	bażant
pine	sosna, choinka
pine wood	las sosnowy
rifle	strzelba
roe deer	sarna
root	korzeń
rowan	jarzębina
she-bear	niedźwiedzica
spider	pająk
spinney, grove	lasek
spruce	świerk
squirrel	wiewiórka
stick	patyk
sycamore	jawor
thiced	gąszcz
tree	drzewo
trees	drzewostan
trunk, stem	pień
twig, sprig	gałązka
undergrowth	runo leśne
wild strawberry	poziomka
wildness	dzikość
wood	drewno
woodpecker	dzięcioł

WYRAŻENIA PRZYMIOTNIKOWE I PRZYSŁÓWKOWE

dark	ciemny
dense, thick	gęsty
rotten	spróchniały
poisonous	trujący
extensive, wide	rozległy
leafed	liściasty
hunting	myśliwski
oak, oaken	dębowy
bushy	krzaczasty
edible	jadalny
wild	dziki
pine	sosnowy
forest, woodland	leśny
green	zielony

WYRAŻENIA CZASOWNIKOWE

let sleeping dogs lie – nie wywołuj wilka z lasu
to rot, to decay – próchnieć
to get broken – złamać się
to guard, to protect – chronić
to feed animals – karmić, dokarmiać zwierzęta
to plant – sadzić
to hum – szumieć
to collect – zbierać (np. jagody)
to shoot – strzelać
to go to the forest – iść do lasu
the lesson didn't fall on deaf ears – nauka nie poszła w las
to tremble like an aspen leaf – drżeć jak osika
to cut out, to clear – wyrąbywać
to outgrow – wyrosnąć
to prune – obcinać gałęzie
to trim – przycinać

to plant trees – sadzić drzewa
to fell a tree – sadzić drzewo
to afforest – zalesiać

FRUIT AND VEGETABLES
OWOCE I WARZYWA

RZECZOWNIKI

almond	migdał
apple	jabłko
apricot	morela
artichoke	karczoch
asparagus	szparag
aubergine	bakłażan
banana	banan
basil	bazylia
basket	kosz
beans	fasola
beet	burak
berry	jagoda
blackberry	jeżyna
broccoli	brokuły
brussels sprout	brukselka
cabbage	kapusta
caraway	kminek
carrot	marchewka
cauliflower	kalafior
celery	por
cherry	wiśnia
chicory	cykoria
chili	ostra papryka
chives	szczypior
coconut	orzech kokosowy
corn *US*	kukurydza
courgette	cukinia
cranberry	borówka
cucumber	ogórek
currant	porzeczka
date	daktyl
garlic	czosnek

ginger	imbir
gooseberry	agrest
grapes	winogrona
grapefruit	grejfrut
greenhouse	szklarnia
green pepper	zielona papryka
horseradish	chrzan
husk	łupina orzecha
leek	por
lemon	cytryna
lettuce	sałata
marjoram	majeranek
melon	melon
mushroom	pieczarka
nutmeg	gałka muszkatołowa
nuts	orzech
olive	oliwka
onions	cebule
oranges	pomarańcze
papaya	papaja
parsnip	pasternak
parsley	pietruszka
peach	brzoskwinia
pear	gruszka
peas	groszek
peelings	obierzyny
pepper	papryka
pineapple	ananas
plum	śliwka
potato	ziemniak
pumpkin	dynia
radish	rzodkiewka
raspberry	malina
rhubarb	rabarbar
skin	skórka
spinach	szpinak
stone	pestka
strawberry	truskawka
sweetcorn *UK*	kukurydza
thyme	tymianek

tomato	pomidor
turnip	rzepa
vanilla	wanilia
watermelon	arbuz
wild strawberry	poziomka

WYRAŻENIA PRZYMIOTNIKOWE

acrid	cierpki
bitter	gorzki
delicious	pyszny
peeled	obrany
pickled cucumber	ogórek kiszony
ripe fruit	dojrzały owoc
rotten fruit	zgniły owoc
sappy	soczysty
sauerkraut	kiszona kapusta
sour	kwaśny
succulent	mięsisty
sweet	słodki
tasty	smaczny
unripe fruit	niedojrzały owoc

WYRAŻENIA CZASOWNIKOWE

to boil – gotować
to bottle – wekować
to chope – siekać
to cultivate flowers – uprawiać kwiat
to extract juice – wyciskać sok
to grow flowers – uprawiać kwiaty
to jar – wekować
to manure - nawozić
to peel – obierać

to pick – zrywać
to pickle - kisić
to scale – łuskać migdały
to shell – łuskać orzechy
to squash lemon – wyciskać cytrynę
to water – podlewać
to weed - pielić

FURNISHINGS
WYPOSAŻENIE MIESZKANIA

RZECZOWNIKI

armchair	fotel
ashtray	popielniczka
back	oparcie krzesła
bed	łóżko
bedside table	stolik nocny
bedspread	narzuta
blanket	koc
blind	żaluzja
bolster	zagłówek
bookcase	biblioteczka
bookshelf	regał
buffet *US*	kredens
candlestick	świecznik
chair	krzesło
chandelier	żyrandol
chest of drawers	bieliźniarka
chest of drawers for shoes	szafka na buty
clock	zegar
coctail cabinet	barek
coffee table	stolik
compact disc player	odtwarzacz płyt kompaktowych
corner settee	narożnik
couch	kanapa, kozetka
cradle	kołyska
curtain rail	karnisz
curtains	zasłony
desk	biurko
desk lamp	lampa na łóżko
doormat	wycieraczka
drawer	szuflada
dressing table	toaletka

eiderdown	pierzyna
fireplace	kominek
flowrepot	doniczka
fluorescent lamp	jarzeniówka
furniture	meble
lace	firanki
lampshade	abażurek
linoleum	linoleum
lock	zamek
mattress	materac
mirror	lustro
oven	piec
panelling	boazeria
picture	obraz
pillow	poduszka
pillowcase	poszewka
quilt	kołdra
radiator	kaloryfer
radio	radio
rocking chair	fotel na biegunach
rug	dywanik przed łóżkiem
runner	chodnik
safe	sejf
seat	siedzenie
sheet	prześcieradło
shelf	półka
showcase	gablotka
sideboard	kredens
small pillow	jasiek
sofa	sofa
sofa bed	wersalka
stereo equipment	sprzęt stereo
stool	stołek
table	stół
tape recorder	magnetofon
telephone	telefon
trinkets	bibeloty
trunk	kufer
TV unit	stolik pod telewizor
umbrella stand	stojak na parasole

vase	wazon
video cassette recorder	magnetowid
wall light	kinkiet
wallpaper	tapeta
wallunit	meblościanka
wardrobe	szafa na ubrania
writing desk	sekretarzyk

WYRAŻENIA PRZYMIOTNIKOWE

build-in wardrobe	szafa wnękowa
bunk bed	łóżko piętrowe
camp bed	łóżko polowe
cot	łóżeczko dziecięce
crib *US*	łóżeczko dziecięce
double bed	łóżko dwuosobowe
fitted carpet	wykładzina dywanowa
folding bed	rozkładane łóżko
folding chair	składane krzesło
folding table	rozkładany stół
hanging pendant	lampa wisząca
night lamp	lampa nocna
propeller fan	wentylator śmigłowy
table lamp	lampa stołowa
washable wallpaper	tapeta zmywalna

WYRAŻENIA CZASOWNIKOWE

to beat the carpets – trzepać dywany
to buy furniture – kupić meble
to change the bedclothes – zmieniać pościel
to clean the floor – myć podłogę
to clean the windows – myć okna
to decorate a flat – dekorować mieszkanie
to do the cleaning – robić porządki
to dust – odkurzać meble

to furnish a flat – wyposażyć mieszkanie
to furnish a room – umeblować pokój
to furnish one`s house – urządzić się
to hoover – odkurzać odkurzaczem
to make the bed – posłać łóżko
to move house – przeprowadzać się
to polish the floor – pastować podłogę
to renovate a room – odnowić pokój
to settle down – urządzić się
to sweep the floor – zamiatać podłogę
to ventilate – wietrzyć
to wallpaper – położyć tapetę
to water the flowers – podlać kwiaty

GAMES
GRY

RZECZOWNIKI

ace	as
adversary	przeciwnik
antics	popisy
archery	łucznictwo
backgammon	trik-trak
ball	kula bilardowa
baseball	bejsbol
billards	bilard
bingo	bingo
bishop	goniec
blackjack	oczko
blind man`s buff	ciuciubabka
board	plansza
bowling	gra w kręgle
bridge	brydż
canasta	kanasta
casino	kasyno
castle	wieża
charades	szarady
checkers *US*	warcaby
chess	szachy
chessboard	szachownica
club	trefl
competition	zawody
competitor	zawodnik
cue	kij bilardowy
darts	rzutki
dealer	rozdający
deck of cards *US*	talia kart
diamond	karo
dice	kości
domino	domino

draughts	warcaby
draw	remis
entrant	początkujący
finalist	finalista
football	piłka nożna
gamble	ryzykowne przedsięwzięcie
gambler	hazardzista
gambling	hazard
handball	piłka ręczna
heads or tails	orzeł czy reszka
heart	kier
hide-and-seek	zabawa w chowanego
hopscotch	gra w klasy
jack	walet
jigsaw	puzzle
kaleidoscope	kalejdoskop
king	król
kite	latawiec
knave	walet
knight	konik
league	liga
loser	przegrany
lottery	loteria
no trumps	bez atu
noughts and crosses	kółko i krzyżyk
odds	szanse
opponent	przeciwnik
pack of cards	talia kart
patience	pasjans
pawn	pionek
pick-a-stick	bierki
plain card	blotka
player	gracz
playing cards	karty
playing field	boisko
points	punkty
poker	poker
puppet	marionetka
puzzles	rebusy
queen	hetman, królowa

quiz	kwiz, zgadywanki
raffle	loteria fantowa
record	rekord
referee	sędzia
riddles	zagadki
rook	wieża
roulette	ruletka
score	wynik
scorer	liczący punkty
scrabble	scrabble
skipping rope	skakanka
skittles	gra w kręgle
soap bubbles	bańki mydlane
solitaire *US*	pasjans
somersault	salto
spade	pik
squash	squash
stakes	stawka
suit	kolor
tag	berek
team	drużyna
teammate	ktoś z tej samej drużyny
the course of the game	przebieg gry
tick-tack-toe *US*	kółko i krzyżyk
tiddlywinks	pchełki
tie-break	dogrywka
trampoline	trampolina
trophy	trofeum
trum	atut
valleyball	siatkówka
victor	zwycięzca
water polo	piłka wodna
whist	wist
winner	zwycięzca

WYRAŻENIA PRZYMIOTNIKOWE

billard table	stół bilardowy
long castling	roszada długa
short castling	roszada krótka
trump card	karta atutowa
unbeaten	niepokonany

WYRAŻENIA CZASOWNIKOWE

to ban – wykluczyć
to beat – pokonywać, przebić
to be in bad form – być w złej formie
to be in fine form – być w dobrej formie
to bluff – blefować
to break a record – pobić rekord
to cast a die – rzucać kostkę
to cheat – oszukiwać
to check mate – dać mata
to cut the cards – przełożyć karty
to deal out cards – rozdawać karty
to do a jigsaw – układać puzzle
to draw – zremisować
to draw lots – ciągnąć losy
to eliminate – eliminować
to flutter – stawiać pieniądze
to have a game of cards – grać w karty
to gamble – uprawiać hazard
to lead - prowadzić
to lose – przegrać
to open hearts – zagrać w kiery
to outplay sb – ograć kogoś
to pip – wygrywać w ostatniej chwili
to play - grać
to play a trump – zagrać w atu
to play blind man`s buff – bawić się w ciuciubabkę
to play hide-and-seek – bawić się w chowanego

to play hopscotch – grać w klasy
to reffle – dawać fanty
to score – liczyć punkty
to set a record – ustanowić rekord
to shuffle cards – tasować karty
to stake – stawiać
to take a gamble - ryzykować
to throw dice – rzucać kości
to tie - zremisować
to toss a coin – rzucać monetę
to wager – stawiać pieniądze
to win – wygrać

GARDEN
OGRÓD

RZECZOWNIKI

artficial flower	sztuczny kwiat
barrow	kopiec, taczka
bed	grządka kwiatowa
bee	pszczoła
beetle	chrząszcz
bench	ławka
blossom	kwiecie
botanist	botanik
botany	botanika
bouqet, bench of flowers	bukiet
bud	pączek
buttercup	jaskier
butterfly	motyl
cabbage butterfly	bielinek kapustnik
caterpillar	gąsienica
catkin	bazia
chrysanthemum	chryzantema
clove, carnation	goździk
compost	kompost
cornflower	chaber
cowslip, marsh marigold	kaczeniec
creeper	roślina pnąca
crocus	krokus
dahlia	dalia
daisy	stokrotka
dandelion	mlecz, mniszek lekarski
earthworm	dżdżownica
essence	esencja, wyciąg
extract	ekstrakt
fence	płot
fern	paproć
florist	kwiaciarka

flower	kwiat
flower bed	rabata
flower show	pokaz kwiatów
flowerpot	doniczka
fruit-grower	sadownik
fruit-growing	sadownictwo
garden centre	centrum ogrodnicze
garden fork	widły ogrodowe
garden path	ścieżka ogrodowa
gardener	ogrodnik
gardening	ogrodnictwo
geranium	geranium
goffodil	żonkil
grape-vine	winorośl
grass	trawa
grasshopper	konik polny
greenhouse	szklarnia
grower	hodowca
grub	gąsienica, larwa
hoe	motyka
hornet	szerszeń
hyacinth	hiacynt
implement	narzędzie
inflorescence	kwiatostan
iris	irys
ladybird	biedronka
lawn-mower	kosiarka do trawy
leaf	liść
lilac	bez
lily	lilia
lily of the valley	konwalia
magnolia	magnolia
mignonette	rezeda
mimosa	mimoza
mole	kret
narcissus	narcyz
orchard	sad
orchid	storczyk, orchidea
ornament	ozdoba, ornament
pansy	bratek

pasque-flower	sasanka
path	ścieżka
peony	piwonia
perwinkle	barwinek
pest	szkodnik
petal	płatek
plant	roślina, sadzonka
plant louse, aphis	mszyca
plantation	plantacja
planter	plantator
pond	staw
poppy	mak
pot-pourri	mieszanka suszonych płatków i korzeni
primrose	pierwiosnek
rake	grabie
rockery	ogród skalny
rose	róża
secateurs	sekator
shears	nożyce
shed	szopa
shell	łupina
shrub	krzew, krzak
shrubbery	kępa krzewów
snowdrop	przebiśnieg
spawn	grzybnia
sprinkler	spryskiwacz
sprout	kiełek, pęd
stem, stalk	łodyga
stock	lewkonia
summer-house	altana
sunflower	słonecznik
tulip	tulipan
vegetable	warzywo
vegetation	roślinność, wegetacja
vineyard	winnica
violet	fiołek
wasp	osa
watering-can	konewka
water-lily	lilia wodna

weed	chwast
weeping	płacząca wierzba
wheelbarrow	taczka
willow	wierzba

WYRAŻENIA PRZYMIOTNIKOWE

botanical	botaniczny
cut flower	cięty kwiat
dewy	zroszony
evergreen	wiecznie zielony
floral	kwiatowy
flowery	ukwiecony, kwiecisty
home-grown vegetables	warzywa wyhodowane we własnym ogrodzie
in the open	na łonie natury
overgrown	zarośnięty
overripe	przejrzały
ripe	dojrzały
rotten	zgniły
shrubby	krzaczasty
vegetable	roślinny
violet	fiołkowy
weedy	zachwaszczony
wild (flower)	dziki (kwiat)

WYRAŻENIA CZASOWNIKOWE

to be in flower to flower to bloom, to blossom – kwitnąć
to cut down – ścinać
to cut off – odcinać
to dig – kopać
to grow – rosnąć, rozwijać się, hodować, uprawiać
to grub – ryć, grzebać
to have a big garden – mieć duży ogród
to hose – podlewać wężem

to mow – kosić
to pick – zrywać kwiaty
to plant – zasadzić
to pluck – skubać, wyrywać
to rake – grabić, grzebać
to rip – dojrzewać
to rot – gnić
to scatter – rozsiewać
to shear – strzyc
to sow – zasiać
to sprout – kiełkować
to water – zraszać, podlewać
to water plants – podlewać rośliny
to weed – odchwaszczać

HEALTH AND ILLNESS
ZDROWIE I CHOROBA

RZECZOWNIKI

ache	ból
adhesive	plaster samoprzylepny
antibiotics	antybiotyki
asthma	astma
bandage	bandaż
barbiturates	środki uspokajające
blood pressure	ciśnienie krwi
breakdown	załamanie nerwowe
bruise	siniak
bump	guz
cavity	ubytek
cold	przeziębienie
conjunctivitis	zaprószenie oka
cough	kaszel
cough syrup	syrop od kaszlu
crutches	kule
cure for sth	lekarstwo na coś
defence system	system odpornościowy
diagnosis	diagnoza
diarrhoea	biegunka
discomfort	złe samopoczucie
disease	choroba
dressing	opatrunek
drip	kroplówka
drops	krople
drug	lekarstwo
fever	gorączka
filling	plomba
flu	grypa
fracture	złamanie
headache	ból głowy
healing	leczenie

iching	swędzenie
impetigo	liszaj
influenza	grypa
infection	infekcja
inflamation	zaczerwienienie
inhalation	inhalacja
insomnia	bezsenność
lotion	płyn leczniczy
lozenges	pastylki do ssania
medical examination	badanie lekarskie
medicine	lekarstwo
needle	igła
ointment	maść
outbreak of disease	wybuch choroby
pain	ból
painkillers	środki przeciwbólowe
patient	pacjent
penicillin	penicylina
pill	pigułka
plaster	gips
pneumonia	zapalenie płuc
precsription	recepta
recovery	powrót do zdrowia
remedy	lekarstwo
sleeping pills	środki nasenne
slink	temblak
smallpox	ospa
sore spasm	skurcz
sore throat	ból gardła
stomachache	ból brzucha
swelling	opuchnięcie
sun stroke	udar słoneczny
surgeon	chirurg
surgery	gabinet lekarski
symptom	symptom
tablet	tabletka
thermometer	termometr
tranquillisers	środki uspokajające
treatment	leczenie
ulcer	wrzód

vaccination	szczepienie
vaccine	szczepionka
vomiting	wymioty
X-ray	promienie rentgenowskie

WYRAŻENIA PRZYMIOTNIKOWE

broken leg	złamana noga
bruised arm	posiniaczone ramię
chipped bone	nadkruszona kość
chronic disease	choroba przewlekła
curable disease	choroba uleczalna
dull ache	tępy ból
fatal disease	śmiertelna choroba
incurable disease	choroba nieuleczalna
infectious disease	choroba zakaźna
shooting pain	przeszywający ból
soluble tablets	rozpuszczalne tabletki

WYRAŻENIA CZASOWNIKOWE

to apply plaster – założyć gips
to break a leg – złamać nogę
to catch a disease – złapać chorobę
to come out in a rash – dostać wysypki
to examine – badać
to feel rotten – czuć się paskudnie
to fill up a tooth – zaplombować ząb
to get blood pressure down – zmniejszyć ciśnienie krwi
to get infected – zostać zarażonym
to get medicine without a prescription – dostać lekarstwo bez recepty
to get short of breath – dostać zadyszki
to give an injection – dawać zastrzyk
to give a medical certificate – wydać zaświadczenie lekarskie
to have a cough – mieć kaszel

to have got an upset stomach – mieć rozstrój żołądka
to have got temperature – mieć gorączkę
to have a terrbile cold – być bardzo przeziębionym
to have sore throat – mieć bolące gardło
to be pregnant – być w ciąży
to injure oneself – skaleczyć się
to lessen the risk of serious infection – zmniejszyć ryzyko
poważniejszej infekcji
to make out a prescription for sth – wypisać receptę na coś
to pass on the infection – roznosić zakażenie
to prescribe some pills – przepisać jakieś pigułki
to put someone on a course of tablets – przepisać komuś serię
tabletek
to put someone on antibiotics – przepisać komuś antybiotyki
to reduce the swelling – zmniejszyć opuchliznę
to relieve the symoptoms – złagodzić objawy
to rub in an ointment – wcierać maść
to sprain an ankle – skręcić kostkę
to suffer from insomnia – cierpieć na bezsenność
to take out tooth – usunąć ząb
to transfer a disease – przenosić chorobę
to treat – leczyć
to vaccinate against – szczepić przeciw
to walk on crutch – chodzić o kulach
What`s the trouble ? – Co panu dolega ?

HOBBY
HOBBY

RZECZOWNIKI

amateur	amator
angling	wędkarstwo
bicycling	jazda na rowerze
billiards	bilard
bingo	bingo
bowling	kręgle
bridge	brydż
ceramics	ceramika
charades	szarady
checkers	warcaby
chess	szachy
cinema	kino
collecting	kolekcjonowanie
collection	kolekcja
cooking	gotowanie
dancing	taniec
darts	rzutki
dice	kości
DIY – do-it-yourself	majsterkowanie
doing crossword puzzle	rozwiązywanie krzyżówek
domino	domino
drawing	rysowanie
embroidery	haftowanie
film	film
free time	czas wolny
gambling	hazard
gardening	ogrodnictwo
graphics	grafika
gymnastics	gimnastyka
hide-and-seek	zabawa w chowanego
hopscotch	gra w klasy
horse riding	jazda konna

hunting	polowanie
jigsaw, puzzle	puzzle
knitting	robienie na drutach
listening to the music	słuchanie muzyki
model making	modelarstwo
mountaineering	wspinaczka
music	muzyka
noughts and crosses	kółko i krzyżyk
numismatics	numizmatyka
painting	malowanie
patience	pasjans
photographing	fotografowanie
pick-a-stick	bierki
playing cards	granie w karty
playing the instrument	granie na instrumencie
poker	poker
pottery	garncarstwo
reading	czytanie
relax	relaks
roulette	ruletka
sailing	żeglarstwo
scrabble	scrabble
sculpturing	rzeźbienie
sewing	szycie
singing	śpiewanie
skating	jazda na łyżwach
skiing	jazda na nartach
sports	sport
stamp collecting	filatelistyka
swimming	pływanie
tag	berek
tap-dancing	stepowanie
theatre	teatr
tourism	turystyka
travelling	podróżowanie

WYRAŻENIA PRZYMIOTNIKOWE I PRZYSŁÓWKOWE

amateurish	amatorski
creative	twórczy
delightful	zachwycający
exceptional	wyjątkowy
expensiwe	kosztowny, drogi
extraordinary	niezwykłe
fascinating	fascynujący
fashionable	modny
favourite	ulubiony
from time to time	od czasu do czasu
interesting	interesujący, ciekawy
popular	popularny
rare	rzadki
sometimes	czasami
unusual	niecodzienny

WYRAŻENIA CZASOWNIKOWE

to be bored – być znudzonym
to be delighted – być zachwyconym
to collect sth – zbierać coś
to deal with sth – zajmować się czymś
to enjoy – lubić
to have a good fun – dobrze się bawić
to have a good time – dobrze się bawić
to laze – leniuchować
to read books – czytać książki
to relax – odpoczywać, relaksować się
to spend a free time – spędzać wolny czas
to travel – podróżować
to watch TV – oglądać telewizję
to swim – pływać
to knit – robić na drutach

HOLIDAYS AND LEAVE
WAKACJE I URLOP

RZECZOWNIKI

air mattress	materac
backpacker	turysta wędrujący z plecakiem
bathing beach	kąpielisko
beach	plaża
beach chair *US*	leżak
bill	rachunek
bivouac	biwak
boarding house	pensjonat
camoground *US*	kemping
camp	obóz
camp bed	łóżko składane
camper	obozowicz
campfire	ognisko
campsite	kemping
caravanner *UK*	turysta podróżujący przyczepą kempingową
checking in	wprowadzenie się do hotelu
checking out	wyprowadzenie się z hotelu
climber	amator wspinaczki górskiej
coach-party	uczestnicy zbiorowej wycieczki autokarowej
compass	kompas
confirmation	potwierdzenie rezerwacji
cooking set	komplet garnków turystycznych
cooler	lodówka turystyczna
day break	wyjazd na jeden dzień
deckchair	leżak
farm	gospodarstwo wiejskie
flashlight *US*	latarka
globetrotter	obieżyświat
hiker	piechur

hitchhiker	autostopowicz
holiay camp	kolonie
holidaymaker	letnik
hotel	hotel
inn	gospoda
jetty	nadbrzeże
lake	jezioro
lifeguard	ratownik
motel	motel
mountaineer	alpinista
passenger	pasażer
pier	molo
reservation	rezerwacja
resprt	kurort
room	pokój
rooms to let	pokoje do wynajęcia
samatorium	sanatorium
sand	piasek
sanitarium *US*	sanatorium
shell	muszla
sightseer	krajoznawca
sleeping bag	śpiwór
spa	uzdrowisko
stowaway	pasażer na gapę
summer resort	letnisko
swimming pool	basen
swimming trunks	kąpielówki
tent	namiot
torch	latarka
tourist	turysta
travel	**podróż**
trekker	wędrowiec
tripper	wycieczkowicz
vacationer *US*	letnik
vacuum flask	termos
valley	kotlina
water bottle	manierka

WYRAŻENIA PRZYMIOTNIKOWE I PRZYSŁÓWKOWE

bathing cap	czepek kąpielowy
beach towel	ręcznik kąpielowy
beach umbrella	parasol plażowy
by bicycle	rowerem
by boat	łodzią
by bus	autobusem
by cable car	kolejką liniową
by car	samochodem
by carriage	powozem
by coach	autokarem
by horseback	konno
by horsecab	dorożką
by kayak	kajakiem
by passenger liner	statkiem pasażerskim
by plane	samolotem
by public transport	komunikacją publiczną
by sailing boat	żaglówką
by ship	statkiem
by taxi	taksówką
by train	pociągiem
by tram	tramwajem
by yacht	jachtem
camp stove	kuchenka obozowa
Christmas break	ferie świąteczne
country house	dom na wsi
country seat	rezydencja na wsi
double room	pokój dwuosobowy
gas cooker	kuchenka gazowa
guarded beach	plaża strzeżona
guest house	dom gościnny
hill station	schronisko górskie
holiday home	dom letniskowy
holidays	wakacje
life belt	koło ratunkowe
night shelter	dom noclegowy
on foot	pieszo

planned journey	planowana podróż
recess	ferie studenckie
rest camp	obóz wypoczynkowy
rest house	dom wczasowy
road house	zajazd przydrożny
school holidays	ferie szkolne
seaside resort	kąpielisko nadmorskie
shelter home	schronisko turystyczne
single room	pokój jednoosobowy
skiing resort	ośrodek narciarski
summer village	wieś letniskowa
sunglasses	okulary przeciwsłoneczne
swimsuit	kostium kąpielowy
tent camp	pole namiotowe
three-bedded room	pokój trzyosobowy
unguarded beach	plaża niestrzeżona
vacation *US*	wakacje
weekend cottage	domek weekendowy
winter break	ferie zimowe
winter resort	ośrodek sportów zimowych
youth hostel	schronisko młodzieżowe

WYRAŻENIA CZASOWNIKOWE

to be on package tour – być na zorganizowanej wycieczce
to go camping – być na biwaku
to go on a trip – jechać na wycieczkę
to go on holiday – jechać na wakacje
to go to the mountains –jechać w góry
to have a swim – pływać
to hitch-hike - jechać autostopem
to put sb up – przenocować kogoś
to ski – jechać na nartach
to steal a ride – jechać na gapę
to sunbath – opalać się
to travel - podróżować
to travel first class – podróżować pierwszą klasą
to travel over land – podróżować drogą lądową

156

HOSPITAL
SZPITAL

RZECZOWNIKI

acupuncture	akupunktura
ambulance service	pogotowie ratunkowe
anesthesia	znieczulenie
anesthetist	anestezjolog
bacteriologist	bakteriolog
bandage	bandaż
bay	sala chorych
biopsy	biopsja
cardiologist	kardiolog
cardiosurgeon	kardiochirurg
chemotherapy	chemioterapia
compress	kompres
consulting room	gabinet przyjęć
cotton *US*	wata
cotton wool	wata
cuvet	kuweta
cytologist	cytolog
delivery	poród
dentist	dentysta
dermatologist	dermatolog
dialisys	dializa
disinfectant	środek dezynfekujący
doctor	doktor
doctor`s room	dyżurka lekarska
dressing	opatrunek
drip infusion	kroplówka
dropper	zakraplacz
electrocardiograph	elektrokardiograf
electroshocks	elektrowstrząsy
enema	lewatywa
examination room	gabinet badań
gauze	gaza

gauze pack	tampon
general anesthesia	narkoza
gentian	gencjana
gynecologist	ginekolog
hematologist	hematolog
homeopathy	homeopatia
infirmary	lecznica
injection	zastrzyk
iodine	jodyna
isolation room	izolatka
laboratory	laboratorium
laryngologist	laryngolog
linen store	magazyn pościeli
manometer	aparat do mierzenia ciśnienia
massage	masaż
mortuary	kostnica
needle	igła
neurologist	neurolog
neurosurgeon	neurochirurg
nurse	pielęgniarka
nurse`s station	dyżurka pielęgniarska
obstetrician	położnik
oncologist	onkolog
ophthalmologist	okulista
orthopedic	ortopeda
out-patients department	przychodnia przyszpitalna
pathologist	anatomopatolog
patient	pacjent
pediatrician	pediatra
physician	internista
physician-on-duty	lekarz dyżurny
physiotherapy	fizjoterapia
phytotherapy	leczenie ziołami
pledget	wacik
preparation room	pokój przygotowawczy
preventive vaccination	szczepienie ochronne
psychiatrist	psychiatra
psychoanalyst	psychoanalityk
puncture	nakłucie
radiologist	radiolog

radiotherapy	radioterapia
resection	resekcja
recovery room	pokój pozabiegowy
salicylic spirit	spirytus salicylowy
scalpel	skalpel
sexologist	seksuolog
sling	temblak
stehoscope	stetoskop
stomach tube	sonda żołądka
stomatologist	stomatolog
stretcher	nosze
surgeon	chirurg
surgery	gabinet lekarski
syringe	strzykawka
taking blood	pobranie krwi
teaching hospital	klinika
testing room	pokój badań
thermometer	termometr
transfusion	transfuzja
trephination	trepanacja
urologist	urolog
waiting room	poczekalnia
ward	oddział

WYRAŻENIA PRZYMIOTNIKOWE

accident department	oddział urazowy
accident hospital	szpital urazowy
blood donor	dawca krwi
casualty and emergency department	oddział nagłych przypadków
children`s hospital	szpital dziecięcy
compression bandage	opaska uciskowa
delivery room	sala porodowa
dermatological department	oddział dermatologiczny
dermatological department	oddział dermatologiczny
disposable needles	igły jednorazowe
disposable syringe	strzykawka jednorazowa

district hospital	szpital rejonowy
ear-nose-throat department	oddział laryngologiczny
elastic bandage	bandaż elastyczny
emergency service	ostry dyżur
field hospital	szpital polowy
first aid	pierwsza pomoc
general hospital	szpital ogólny
gynecological department	oddział ginekologiczny
head doctor	lekarz dyżurny
hormonal treatment	leczenie hormonalne
hospital department	oddział szpitalny
infectious diseases department	oddział chorób zakaźnych
intensive care unit	oddział intensywnej opieki medycznej
intramuscular injection	zastrzyk domięśniowy
intravenous injection	zastrzyk dożylny
maternity hospital	szpital położniczy
maternity ward	oddział położniczy
medical department	oddział chorób wewnętrznych
medical examination	badanie lekarskie
medical ward	oddział wewnętrzny
military hospital	szpital wojskowy
municipal hospital	szpital miejski
neonatal department	oddział noworodków
neurological department	oddział neurologiczny
oncological department	oddział onkologiczny
operating room *US*	sala operacyjna
operating suite	blok operacyjny
operating table	stół operacyjny
operating theatre	sala operacyjna
ophthalmic department	oddział okulistyczny
orthopedic department	oddział ortopedyczny
pediatric department	oddział dziecięcy
private hospital	szpital prywatny
probationary ward	sala obserwacyjna
psychiatric department	oddział psychiatryczny
psychiatric hospital	szpital psychiatryczny
rubber gloves	rękawiczki gumowe
single room	sala jednoosobowa
specialist hospital	szpital specjalistyczny

state hospital	szpital państwowy
surgical department	oddział chirurgiczny
surgical hospital	szpital chirurgiczny
surgical mask	maska chirurgiczna
urological department	oddział urologiczny

WYRAŻENIA CZASOWNIKOWE

to amputate – amputować
to apply a compress – zrobić okład
to break a leg – złamać nogę
to call an ambulance – wezwać karetkę
to die - umrzeć
to dress a wound – zakładać opatrunek
to examine a patient – badać pacjenta
to feel one`s pulse – mierzyć komuś puls
to get blood pressure down – zmniejszyć ciśnienie krwi
to get infected - zostać zarażonym
to give an injection – dawać zastrzyk
to give birth to a child – urodzić dziecko
to go and see a doctor – iść do lekarza
to graft – przeszczepiać
to have an abortion – usunąć ciążę
to have broken leg – mieć złamaną nogę
to have sprained ankle – mieć skręconą kostkę
to lessen the risk of serious infection - zmniejszyć ryzyko poważniejszej infekcji
to make the diagnosis – postawić diagnozę
to operate in an emergency – operować w nagłym przypadku
to operate on sb – operować kogoś
to pass on the infection – roznosić zakażenie
to perform artificial respiration – zrobić sztuczne oddychanie
to prescribe a medicine – przepisać lekarstwo
to prescribe some pills – przepisać jakieś pigułki
to put someone on a course of tablets - przepisać komuś serię tabletek
to put someone on antibiotics – przepisać komuś antybiotyki

to put stitches – zakładać szwy
to reduce the swelling – zmniejszyć opuchliznę
to take one`s temperature – mierzyć komuś temperaturę
to transfer a disease – przenosić chorobę
to transplant – przeszczepiać
to vaccinate – zaszczepić się
to walk with a limp – kuleć

HOTEL
HOTEL

RZECZOWNIKI

accomodation	zakwaterowanie
air conditioning	klimatyzacja
air-conditioned room	pokój z klimatyzacją
baggage	bagaż
bar	bar
barman, bartender	barman
bed and breakfast	nocleg ze śnadaniem
bedside lamp	lampka nocna
bedside table	stolik nocny
bellboy	boy hotelowy
bed linen	bielizna pościelowa
bill	rachunek
bridal suite	apartament dla nowożeńców
business centre	centrum biznesowe
switchboard	centrala telefoniczna
(chamber)maid	pokojówka
cleaner	sprzątaczka
departure	wymeldowanie
dining room	jadalnia
double room	pokój dwuosobowy
elevator	winda
emergency exit	wyjście ewakuacyjne
facilities	udogodnienia
four-star hotel	hotel czterogwiazdkowy
full board	pełne wyżywienie
garage	garaż
guest	gość
heating	ogrzewanie
hotel room	pokój hotelowy
hotel guest	gość hotelowy
hotel manager	dyrektor hotelu.
hotel staff	personel hotelowy

hotel suite	apartament hotelowy
hotelier	hotelarz, właściciel hotelu
left luggage office	przechowalnia bagażu
luxury suite	apartament luksusowy
name	imię
no vacancies	brak wolnych miejsc
notice	wywieszka
porter	bagażowy, portier
presidental suite	apartament prezydencki
reception desk	recepcja, lada recepcyjna
receptionist	recepcjonista
register, visitor's book	książka meldunkowa
registration card	karta meldunkowa
reservation	rezerwacja
room key	klucz do pokoju
room overlooking the sea	pokój z widokiem na morze
room service	obsługa pokoju
room with view	pokój z widokiem
room with a bath	pokój z łazienką
room with a shower	pokój z prysznicem
sauna	sauna
service charge	opłata za obsługę
signature	podpis
single room	pokój jednoosobowy
solarium	solarium
suitcase	walizka
surname	nazwisko
telephone	telefon
top floor	górne piętro
top-class hotel	hotel o wysokim standardzie
vacancies	wolne pokoje
waiter	kelner
waitress	kelnerka

WYRAŻENIA PRZYMIOTNIKOWE I PRZYSŁÓWKOWE

booked, reserved	zarezerwowany
cheap	tani
comfortable	komfortowy, wygodny
demanding	wymagający
double	podwójny
expensive	drogi
free, vacancy	wolny
luxury	luksusowy
modest	skromny
polite	uprzejmy, miły
rude	niegrzeczny, arogancki
single	pojedynczy
snug	zaciszny
three-star hotel	trzygwiazdkowy (hotel)
two-star hotel	dwugwiazdkowy (hotel)

WYRAŻENIA CZASOWNIKOWE

Have a nice stay. – Miłego pobytu.
serivice is included – obsługa jest wliczona
to arrive in a hotel – przybyć do hotelu
to book – zarezerwować
to call the maid – wezwać pokojówkę
to call the cab – zawołać taksówkę
to cancel a booking – odwołać rezerwację
to check in – wprowadzić się
to check out – wyprowadzić się
to confirm a booking – potwierdzić rezerwację
to pay the bill – zapłacić rachunek
to rent a room – wynająć pokój
to sign – podpisać
to stay at the hotel – przybywać, mieszkać w hotelu

HOUSING
MIESZKANIE

RZECZOWNIKI

alarm clock	budzik
antenna *US*	antena telewizyjna
apartment	apartament
armchair	fotel
attic	strych
back garden	ogródek za domem
backyard	podwórko za domem
balcony	balkon
bars	krata okienna
basement	suterena
bathroom	łazienka
bed	łóżko
bed linen	pościel
bedroom	sypialnia
bedsite cabinet	szafka nocna
bedspread	narzuta na łóżko
blind	żaluzja
block of flats	blok mieszkalny
bookcase	biblioteczka
bookshelf	regał
bungalow	dom parterowy
caretaker	dozorca
carpet	dywan
casement window	lufcik
ceiling	sufit
ceiling fan	wentylator sufitowy
cellar	piwnica
central heating	centralne ogrzewanie
cesspool	szambo
chandelier	żyrandol
chimney	komin
cornice	gzyms

corridor	korytarz
cottage	domek
couch	kanapa
cradle	kołyska
curtain	zasłona
dining room	jadalnia
doormat	wycieraczka
drainpipe	rynna
drains	kanalizacja
drawing room	salon
dressing room	garderoba
dressing table	toaletka
drive	droga dojazdowa
driveway US	droga dojazdowa
dustbin	krata okienna
duvet	kołdra
electric switch	wyłącznik elektryczny
entrance	wejście
eyehole	wizjer
fence	ogrodzenie
fireplace	kominek
flat	mieszkanie
floor	piętro, podłoga
foundations	fundamenty
frame	futryna
furniture	meble
garden	ogród
gate	brama, furtka
ground floor	parter
guestroom	pokój gościnny
hall	hall
handle	klamka
handrail	poręcz
heater	piecyk
hedge	żywopłot
high rise	wieżowiec
home	ognisko domowe
host	pan domu
hostess	pani dom
house	dom (budynek)

householder	gospodarz
housemaid	pomoc domowa
hut	chata
intercom	domofon
kitchen	kuchnia
kitchen unit	zestaw mebli kuchennych
lamp	lampa
landing	podest
landlord	właściciel domu czynszowego
laundry room	pralnia
lawn	trawnik
lift	winda
lighting conductor	piorunochron
lights	oświetlenie
living room	pokój dzienny
lock	zamek
lodger	sublokatorka
lumber room	graciarnia
meter	licznik
mirror	lustro
nursery	pokój dziecinny
parquet floor	parkiet
picture	obraz
playroom *US*	pokój dziecinny
porch	ganek
power point	gniazdko elektryczne
radiator	kaloryfer
removal	przeprowadzka
rent charge	czynsz dzierżawczy
renter	lokator
residence	rezydencja
roller blind	roleta
roof	dach
room	pokój
semidetached house	dom dwurodzinny
sheet	prześcieradło
shelf	półka
sideboard	kredens
sofa	sofa
sofa bed	wersalka

staircase	klatka schodowa
stairs	schody
stool	stołek
story *US*	piętro
stove	piec
study	pokój do pracy
terrace	taras
toilet	ubikacja
treshold	próg
TV aerial	antena telewizyjna
TV unit	stolik pod telewizor
vase	waza
villa	willa
wall	ściana
wall clock	zegar ścienny
wall light	kinkiet
wall unit	meblościanka
wardrobe	szafa ubraniowa
water filter	filtr do wody
window	okno
windowsill	parapet
workshop	warsztat
writing desk	biurko
yard	dziedziniec

WYRAŻENIA PRZYMIOTNIKOWE

back door	drzwi z tyłu domu
bi-parting door	drzwi dwudzielnie rozsuwane
folding door	drzwi składane
front door	drzwi wejściowe
night lamp	lampa nocna
self-closing door	drzwi samozamykające się
sliding door	drzwi rozsuwane
table lamp	lampa stołowa

WYRAŻENIA CZASOWNIKOWE

There is no place like home. – Wszędzie dobrze, ale w domu najlepiej.

to be homeless – być bezdomnym
to feel at home – czuć się jak w domu
to furnish a flat – umeblować mieszkanie
to let out a flat – oddać w najem mieszkanie
to make oneself at home – rozgościć się
to move – przeprowadzić się
to pay a rent – płacić czynsz
to put sb up – przenocować kogoś
to put up at a hotel – przenocować w hotelu
to put up at sb`s place – mieszkać kątem u kogoś
to rent a flat – wynajmować mieszkanie
to settle down – zagospodarować się
to take in lodgers – wynajmować pokoje

HUMAN BODY
CIAŁO LUDZKIE

RZECZOWNIKI

abdomen	brzuch
air-passages	drogi oddechowe
ankle	kostka
anus	odbyt
aorta	aorta
appendix	wyrostek
arm	ramię
back	plecy
bladder	pęcherz moczowy
blood	krew
blood vessels	naczynia krwionośne
bone marrow	szpik kostny
brain	mózg
breasts	biust
buttock	pośladek
calf	łydka
canine	siekacz
cheek	policzek
chin	podbródek
collar bone	obojczyk
ear	ucho
elbow	łokieć
eye	oko
eye brow	brew
eyelid	powieka
face	twarz
finger	palec
foot, feet	stopa, stopy
forearm	przedramię
forehead	czoło
genitals	genitalia
gland	gruczoł

groin	pachwina
hair	włosy
hand	ręka
head	głowa
heart	serce
heel	pięta
hip	biodro
intestine	jelito
jaw	szczęka
joint	staw
kidney	nerka
knee	kolano
leg	noga
limp	kończyna
lip	warga
liver	wątroba
lung	płuco
mouth	usta
mucous membrane	błona śluzowa
muscles	mięśnie
nail	paznokieć
nape	kark
navel	pępek
neck	szyja
nipple	sutek
nose	nos
ovary	jajnik
palate	podniebienie
palm	dłoń
penis	penis
reproductive organs	narządy rozrodcze
rib	żebro
shoulder	bark
shoulder blade	łopatka
skin	skóra
spine	kręgosłup
stomach	żołądek
temple	skroń
testicles	jądra
thigh	udo

throat	gardło
thumb	kciuk
thyroid	tarczyca
toe	palec u nogi
tongue	język
tooth, teeth	ząb, zęby
trunk	tułów
uterus	macica
vagina	płuco
vein	żyła
waist	talia
wisdom tooth	ząb mądrości
wrist	nadgarstek

WYRAŻENIA PRZYMIOTNIKOWE

big belly	duży brzuch
eyes close together	oczy blisko osadzone
eyes deep set	oczy osadzone głęboko
eyes wide open	oczy szeroko otwarte
forefinger	wskazujący palec
hip joint	staw biodrowy
knee joint	staw kolanowy
large intestine	jelito grube
large lobes	duże uszy
little finger	mały palec
middle finger	środkowy palec
ring finger	serdeczny palec
shoulder joint	staw barkowy
slanting eyes	skośne oczy
small ears	małe uszy
small intestine	jelito cienkie
sticking out ears	odstające uszy
upper jaw	szczęka górna

WYRAŻENIA CZASOWNIKOWE

in the sweat of one`s brow – w pocie czoła
to be absent-minded – być roztargnionym
to be an apple of the eye – być oczkiem w głowie
to be frail – być wątłym
to be good looking – dobrze wyglądać
to be handsome – być przystojnym
to be having a hot time – mieć urwanie głowy
to be on one`s last legs – walić się z nóg
to be shapely – być zgrabnym
to bend over backwards – wychodzić ze skóry
to bend the knee – zgiąć kolano
to bite one`s nails – obgryzać paznokcie
to blow one`s nose – wydmuchiwać nos
to break leg – złamać nogę
to catch sb red-handed – złapać kogoś za rękę
to cry one`s eyes out – wypłakiwać sobie oczy
to drop one`s head – zwiesić głowę
to full of admiration – nosić kogoś na rękach
to give sb full liberty – dać komuś wolną rękę
to grind one`s teeth – zgrzytać zębami
to have a sharp tongue – mieć ostry język
to have head ache – cierpieć na ból głowy
to have irregular features – mieć nieregularne rysy
to have long lashes – mieć długie rzęsy
to have short legs – mieć krótkie nogi
to have sore throat – cierpieć na ból gardła
to hold out a hand to sb – wyciągać do kogoś dłoń
to keep an eye on sb – mieć kogoś na oku
to keep one`s head – nie tracić głowy
to laugh one`s head off – śmiać się do rozpuku
to lie on one`s back – leżeć do góry brzuchem
to look down one`s nose at sb – zadzierać nosa
to lose one`s head – tracić głowę
to pierce one`s ears – przekłuwać uszy
to poke one`s nose into sth – wtykać w coś nos
to pump sb – ciągnąć kogoś za język
to scream one`s head off – wydzierać się
to shake one`s hand – uścisnąć komuś dłoń
to spread one`s arms helplessly – rozkładać ręce

to stand idly by – czekać z założonymi rękami
to stretch one's legs – rozprostować nogi
to turn one's nose up at sth – kręcić na coś nosem
to wet one's whistle – przepłukać sobie gardło
to wring sth from sb – wydrzeć komuś coś z gardła

KITCHEN
KUCHNIA

RZECZOWNIKI

apron	fartuch
blender	młynek do kawy
bottle opener	otwieracz do butelek
bowl	miska
bread bin *UK*	pojemnik na chleb
bread box *US*	pojemnik na chleb
cake pan *US*	forma do ciasta
can opener *US*	otwieracz do konserw
cake tin *UK*	forma do ciasta
casserole	naczynie żaroodporne
coffee maker	maszynka do parzenia kawy
coffee mill	maszynka do mielenia kawy
colander	durszlak
cooker	kuchenka
cookery book	książka kucharska
copping board	deska do krojenia
cup	filiżanka
cupboard	szafka
cutlery	sztućce
dishwasher	zmywarka
electric craving	nóż elektryczny
faucet *US*	kran
food mixer	mikser
freezer	zamrażarka
fridge	lodówka
frying pan	patelnia
glass	kieliszek, szklanka
grater	tarka
jar	słoik
juice extrctor	sokowirówka
jug	dzbanek
ladle	chochla

kettle	czajnik
knife	nóż
microwave	kuchenka mikrofalowa
mug	kubek
napkin	serwetka
oven	piec
oven glove	rękawica do pieca
plate	talerz
pot	garnek
recipe	przepis
rolling pin	wałek do ciasta
salad bowl	salaterka
saucepan	rondel
scales	waga
screwdriver	korkociąg
set of cups	komplet filiżanek
sieve	sitko
sink	zlew
spoon	łyżka
table-cloth	obrus
tap *UK*	kran
teaspoon	łyżeczka
teapot	imbryk
tin opener *UK*	otwieracz do konserw
toaster	opiekacz do pieczywa
tray	taca
tureen	waza
vacuum flask	termos
whisk	trzepaczka

WYRAŻENIA PRZYMIOTNIKOWE

artificial additives	sztuczne dodatki
beaten eggs	rozbite jajka
delicious meal	pyszne jedzenie
edible mushroom	grzyb jadalny
inedible mushroom	niejadalny grzyb
overcooked meat	przegotowane mięso

177

tasty dish   smaczne danie
undercooked meat   niedogotowane mięso

WYRAŻENIA CZASOWNIKOWE

to barbecue chicken – smażyć na rożnie kurczaka
to beat the eggs in a bowl – rozbić jajka w misce
to boil meat – gotować mięso
to bring to the boil – doprowadź do wrzenia
to chop potatoes – posiekać ziemniaki
to clean the table – posprzątać ze stołu
to do the washing up – zmywać naczynia
to drain the potatoes – odcedzić ziemniaki
to dry the dishes – wytrzeć naczynia
to grate some cheese – zetrzeć trochę sera
to fry chicken – smażyć kurczaka
to heat the oil – podgrzać olej
to melt the butter – rozpuszczać masło
milk has gone off – mleko się zepsuło
to peel potatoes – obierać ziemniaki
to put the dishes away – odstawić naczynia na miejsce
to serve hot with plenty of bread – podawać na gorąco z dużą
ilością chleba
to set the table – nakryć do stołu
to slice the apples – pokroić jabłka
to steam fish – gotować na parze ryby
to stir all the time – mieszać cały czas
to turn the heat to 190 C° – podkręcić gaz do 190 stopni
to warm up meal in microwave – podgrzać jedzenie w
mikrofalówce

LANDSCAPE AND CONFIGURATION OF THE GROUND
KRAJOBRAZ I UKSZTAŁTOWANIE TERENU

RZECZOWNIKI

archipelago	archipelag
ash	popiół
atoll	atol
avalanche	lawina
bank, riverside	brzeg rzeki
bay, gulf	zatoka
beach	plaża
brook	potok
canyon	kanion
cape	przylądek
cascade	kaskada
cave	jaskinia, pieczara
channel	kanał
clay	glina
clearing	polana
continent	kontynent
crater	krater
delta	delta
desert	pustynia
dune	wydma
Earth	Ziemia
equator	równik
erosion	erozja
fault	uskok
field	pole
fissure	rozpadlina
fjord	fiord

forest	las
geyser	gejzer
glacier	lodowiec
globe	kula ziemska
grass	trawa
grotto	grota
ground	grunt
hill	pagórek, wzgórze
hillock	górka
iceberg	góra lodowa
island	wyspa
isthmus	przesmyk
jungle	dżungla
lagoon	laguna
lake	jezioro
land	ląd
landslip	osunięcie ziemi
latitude	szerokość geograficzna
lava	lawa
longitude	długość geograficzna
lowland	nizina
meadow	łąka
mountain	góra
mountain range	łańcuch górski
mud	błoto
oasis	oaza
ocean	ocean
pass	przełęcz
penisula	półwysep
perpetual snow	wieczny śnieg
plain	równina
plateau	płaskowyż
pool	staw
pool, puddle	kałuża
precipice	przepaść
primaeval forest	puszcza
promontory	cypel
ravine	wąwóz, parów
river	rzeka
river-bed	koryto rzeki

rock	skała
root	korzeń
rushes	szuwary
sand	piasek
savannah	sawanna
scree	piarg
sea	morze
sea current	prąd morski
shore	brzeg morza
slime, mud	muł
slope	skarpa, stok, zbocze
small island	mała wysepka
soil	gleba
spring	źródło
steppe	step
strait	cieśnina
stream	strumyk
summit	szczyt
swamps, marshland	bagna
taiga	tajga
top, peak	szczyt
tributary	dopływ
tundra	tundra
upland	wyżyna
valley	dolina
volcanic eruption	wybuch wulkanu
volcano	wulkan
waterfall	wodospad
wave	fala

WYRAŻENIA PRZYMIOTNIKOWE I PRZYSŁÓWKOWE

above sea level	ponad poziomem morza
beautiful	piękny
clear	czysty
deep	głęboki
flat	płaski

181

high	wysoki
highland	górski
hilly	pagórkowaty
marshy, swampy	bagnisty
mountainous	górzysty
steep	stromy
volcanic	wulkaniczny

WYRAŻENIA CZASOWNIKOWE

to flow – płynąć
to flow into the sea – wpadać do morza
to hum – szumieć
to overflow – wylać
to rise – wznosić się
to sink – tonąć
to spread – rozciągać się
to surround – otaczać
to swim – pływać
to tower – górować
to wash away the shores – podmywać brzegi

LANGUAGE AND GRAMMAR
JĘZYK I GRAMATYKA

RZECZOWNIKI

abbreviation	skrót
acccent, stress	akcent
active voice	strona czynna
adjective	przymiotnik
adverb	przysłówek
allegory	alegoria
alphabet	alfabet
anthology	antologia
antonym	antonim
article	rodzajnik
auxiliary verb	czasownik posiłkowy
Braille	alfabet Braila
cardinal numer	liczebnik główny
clause	zdanie
colon	dwukropek
comma	myślnik
comparative	stopień wyższy
conditional clause	okres warunkowy
conjunction	spójnik
consonant	spółgłoska
dash	myślnik
demonstrative pronoun	zaimek wskazujący
dialekt	dialekt
dictionary	słownik
direct object	dopełnienie bliższe
dirty language	język wulgarny
dot	kropka
etymology	etymologia
euphemism	eufemizm
exclamation mark	wykrzyknik
finite verb	czasownik w formie osobowej
foreign language	język obcy

future tense	czas przyszły
idiom	idiom
imperative mood	tryb rozkazujący
impersonal verb	czasownik w formie
bezosobowej	
indicative mood	tryb oznajmujący
indirect object	dopełnienie dalsze
infinitive	bezokolicznik
interpretation	interpretacja
intonation	intonacja
irony	ironia
irregular comparison	stopniowanie nieregularne
legibility	czytelność
letter	litera
linguisitics	językoznawstwo
linguist	językoznawca
lip-reading	czytanie z warg
metaphor	metafora
modal verb	czasownik modalny
mood	tryb
Morse code	alfabet Morsa
native language	język ojczysty
negation	negacja
noun	rzeczownik
numeral	liczebnik
object	dopełnienie
ordinal numer	liczebnik porządkowy
participle	imiesłów
passive voice	strona bierna
past participle	imiesłów bierny
past tense	czas przeszły
personal pronoun	zaimek osobowy
plural	liczba mnoga
positive	stopień równy
possessive pronoun	zaimek dzierżawczy
predicate	orzeczenie
prefix	przedrostek
preposition	przyimek
present participle	imiesłów czynny
present tense	czas teraźniejszy

pronoun	zaimek
proverb	przysłowie
punctation	interpunkcja
punctation mark	znak interpunkcyjny
question mark	znak zapytania
qutation mark	cudzysłów
reader	czytanka
reading	czytanie
recitation, declamation	deklamacja
reflexive pronoun	zaimek zwrotny
reflexive verb	czasownik zwrotny
regular comparison	stopniowanie regularne
semicolon	średnik
sentencje, clause	zdanie
singular	liczba pojedyncza
speaking	mówienie
speller	słownik ortograficzny
spelling	ortografia
subject	podmiot
subordinate clause	zdanie podrzędne
suffix	przyrostek
superlative	stopień najwyższy
syllabe	sylaba
symbol	symbol
synonym	synonim
syntax	składnia
tense	czas
tip, end	końcówka
tongue	język (w jamie ustnej)
translation	tłumaczenie
verb	czasownik
vocabulary	słownictwo
vocal chords	struny głosowe
vowel	samogłoska
word	słowo

WYRAŻENIA PRZYMIOTNIKOWE
I PRZYSŁÓWKOWE

adverbial	przysłówkowy
allegorical	alegoryczny
alphabetically	alfabetycznie
alphabetical	alfabetyczny
bilingual	dwujęzyczny
etymological	etymologiczny
euphemistic	eufemistyczny
idiomatically	idiomatycznie
in alphabetial order	w porządku alfabetycznym
legible	czytelny
leglibly	czytelnie
linguistic	językowy
subjective	podmiotowy
syllabic	sylabowy
synonymous	synonimiczny
verbal	czasownikowy, słowny
word for word	słowo w słowo

WYRAŻENIA CZASOWNIKOWE

to have sth on the tip of the tongue – mieć coś na końcu języka
to hold the tongue – trzymać język za zębami
to inflect – odmieniać
to listen – słuchać
to read – czytać
to read aloud – czytać głośno
to repeat – powtarzać
to speak English – mówić po angielsku
to speak – mówić
to skim – czytać pobieżnie
to slur the words – mówić niewyraźnie
to understand – rozumieć
to use – używać
to write – pisać

LIFE
ŻYCIE

RZECZOWNIKI

adult	dorosły
age group	grupa wiekowa
autobiography	autobiografia
biograhy	biografia
boyhood	wiek chłopięcy
care, concern	troska
career	kariera
child	dziecko
childhood	dzieciństwo
comfort	komfort
conscience	sumienie
custom, habit	obyczaj
death	śmierć
decision	decyzja
delivery, birth	poród
demands	żądania, oczekiwania
descendant	potomek
discipline	dyscyplina
dream	marzenie
duty	obowiązek
emotions	emocje
evolution	ewolucja
existence	egzystencja
experience	doświadczenie
fame	sława
feelings	uczucia
foetus	płód
friendship	przyjaźń
generation	pokolenie
friend	przyjaciel
happiness	szczęście
health	zdrowie

home life	życie rodzinne
hope	nadzieja
illness	choroba
initiation	inicjacja
insurance	ubezpieczenie
job, work	praca
labour	trud
life cycle	cykl życia
life experience	doświadczenie życiowe
life tragedy	tragedia życiowa
lifestyle	styl życia
lifetime	życie
love	miłość
mammal	ssak
materialism	materializm
middle-age	wiek średni
misfortune	nieszczęście
money	pieniądze
mortal	śmiertelnik
mutation	mutacja
mystery, secret	tajemnica
nature	przyroda
needs	potrzeby
old age	starość
old man	staruszek, starzec
optimism	optymizm
orphan	sierota
outlook	spojrzenie na świat
peer	rówieśnik
physical deformity	kalectwo
privacy	prywatność
progeny	potomstwo
quiet, calm, peace	spokój
realism	realizm
realist	realista
recovery	powrót do zdrowia
retirement	emerytura
school	szkoła
school report	świadectwo szkolne
sex	płeć

signs of life	oznaki życia
sorrow	smutek, żal
standard of living	stopa życiowa
stress	stres
succes	sukces
teenager	nastolatek
tribe	plemię
values	wartości
weakness	słabość
wisdom	mądrość
word of honour	słowo honoru
workaholic	pracoholik
youngster	młodzieniec
youth	młodzież, młodość

WYRAŻENIA PRZYMIOTNIKOWE I PRZYSŁÓWKOWE

active	aktywny, zajęty
bad	zły
caring	troskliwy
childlike	dziecinny
close friend	bliski przyjaciel
dead	martwy
deadly seriuus	śmiertelnie poważny
domestic	domowy
elder, older	starszy
entire life	całe życie
everyday	codzienny
experienced	doświadczony
fatal disease	śmiertelna choroba
full of life	pełny życia
good	dobry
grey life	szare życie
hale and hearty	zdrowy i pełny życia
happy	szczęśliwy, zadowolony
immature	niedojrzały
innocent	niedoświadczony, niewinny

189

lazy	leniwy
life chance	życiowa szansa
lifeless	bez życia, nieprzytomny
lifelike	jak żywy
lifelong	trwający przez całe życie
loving	kochający
manly	męski
mature	dojrzały
modern	nowoczesny
mortal	śmiertelny
old	stary
old-fashioned	staroświecki
personal	osobisty
positive	pozytywny
teenage	młodzieżowy
vital	życiowy
wise	mądry
younger	młodszy

WYRAŻENIA CZASOWNIKOWE

Misery loves company. – Nieszczęścia chodzą parami.
Slow and steady wins the race. – Śpiesz się powoli.
to (day-)dream – marzyć
to acclimatise – aklimatyzować się
to achieve fame – zdobyć sławę
to be at a crossroads – być na rozdrożu, nie wiedzieć, co robić
to be born – przyjść na świat
to be successful – odnieść sukces
to believe in sth – wierzyć w coś
to breath – oddychać
to care for, to look after – troszczyć się
to change – zmieniać
to cry – płakać
to diserve – zasłużyć na coś
to drink – pić
to eat – jeść
to evolve – ewoluować

to follow in sb's footsteps – pójść w czyjeś ślady
to fret, to worry – martwić się
to go from rags to riches – od pucybuta do milionera
to go to the dogs – schodzić na psy
to laugh – śmiać się
to live, to exist – żyć
to make a mistake – popełnić błąd
to make ends meet – wiązać koniec z końcem
to matue – dojrzewać
to sleep – spać
to work – pracować

MARRIAGE
MAŁŻEŃSTWO

RZECZOWNIKI

affair	romans
alimony	alimenty
annulment	unieważnienie
bachelor	kawaler
best man	drużba, świadek
betryal	zdrada
bigamy	bigamia
bouqet	bukiet
bow-tie	muszka
break-up	rozstanie
bride	panna młoda
bride and bridegroom	młoda para
bridegroom	pan młody
bridesmaid	druhna
brother-in-law	szwagier
ceremony	ceremonia
child	dziecko
children	dzieci
church wedding	ślub kościelny
civil marriage	ślub cywilny
confetti	confetti
couple	para
daughter	córka
daughter-in-law	synowa
divorce	rozwód
engagement	zaręczyny
engagement ring	pierścionek zaręczynowy
envy	zazdrość
faithfulness	wierność
family life	życie rodzinne
father-in-law	teść
feeling	uczucie

first-born son	syn pierworodny
garter, suspender	podwiązka
habit	przyzwyczajenie
honeymoon	miodowy miesiąc
host	pan domu
hostess	pani domu
husband	mąż
invitation	zaproszenie
kiss	pocałunek
love	miłość
lover	kochanek
marriage	ślub, ceremonia zaślubin
marriage certificate	akt ślubu
married couple	para małżeńska
mistress, lover	kochanka
mother-in-law	teściowa
party	przyjęcie
polygamy	poligamia, wielożeństwo
pregnancy	ciąża
previous marriage	poprzednie małżeństwo
priest	ksiądz
problem	problem
quarrel	kłótnia
relationship	związek
responsibility	odpowiedzialność
riwal	rywal (-ka)
sacrament	sakrament
scandal	skandal
seducer	uwodziciel
separation	separacja
silver wedding	srebrne gody
sister-in-law	szwagierka
son	syn
son-in-law	zięć
spinster	stara panna
spouse	małżonek
stepchild	pasierb, pasierbica
step-father	ojczym
step-mother	macocha
suit	garnitur

superstition	przesąd
the institution of marriage	instytucja małżeństwa
the newly-weds	nowożeńcy
the only child	jedynak
tie	krawat
toast	toast
truble	kłopot
trust	zaufanie
understanding	zrozumienie
veil	welon
vow	ślub, przysięga
wedding	wesele
wedding cake	tort weselny
wedding gown	suknia ślubna
wedding ring	obrączka
widow	wdowa
widower	wdowiec
wife	żona
wishes	życzenia

WYRAŻENIA PRZYMIOTNIKOWE I PRZYSŁÓWKOWE

common	wspólny
conjugal, marital, matrimonial	małżeński
divorced	rozwiedziony
faithful	wierny
happy	szczęśliwy
jealous	zazdrosny
maritial problems	problemy małżeńskie
married	zamężny, zamężna
quarrelsome	kłótliwy
responsible	odpowiedzialny
romantic	romantyczny
safe, secure	bezpieczny
together	razem
wedding	ślubny

WYRAŻENIA CZASOWNIKOWE

Their marriage broke down. – Ich małżeństwo rozpadło się.
to be henpecked – być pod pantoflem
to be in love – być zakochanym
to be pregnant – być w ciąży
to bless – błogosławić
to bode well – dobrze wróżyć
to bring up children – wychowywać dzieci
to cause trouble – sprawiać kłopot
to consumate – skonsumować związek małżeński
to disapprove – potępiać, nie pochwalać
to dissolve – rozwiązywać (np. problemy)
to divorce – rozwodzić się
to flounder – brnąć, plątać się
to get engaged – zaręczyć się
to get married – brać ślub
to get pregnant – zajść w ciążę
to have an affair – mieć romans, romansować
to help – pomagać
to hug – obejmować się, ściskać
to kiss – całować się
to love – kochać
to make a choise – dokonać wyboru
to part – rozstawać się
to propose – oświadczyć się
to propose a toast – wznosić toast
to quarrel – kłócić się
to seduce – uwodzić
to sham – udawać, pozorować
to suspect – podejrzewać
to trust – zaufać
to trust in sb / sth – wierzyć w kogoś / coś
to vow – ślubować, przysięgać

MEALS AND DRINKS
POSIŁKI I NAPOJE

RZECZOWNIKI

absinth	absynt
aperitif	aperitif
appetite	apetyt
apple pie	szarlotka
asparagus soup	zupa szparagowa
bacon and eggs	jajka na bekonie
barley soup	krupnik
beefsteak	befsztyk
beer	piwo
beetroot soup, borscht	barszcz czerwony
bloater	pikling
boullion, broth	bulion
bread	chleb
breakfast	śniadanie
brown ale	piwo ciemne
bun	słodka bułka
cabbage soup	kapuśniak
cauliflower soup	zupa kalafiorowa
champagne	szampan
cheap restaurant	jadłodajnia
cheese-cake	sernik
chicken soup	rosół
chocolate	czekolada
chopped meat and cabbage	bigos
cocoa	kakao
coffe with cream	kawa ze śmietanką
coffee	kawa
crisps	chipsy
croquette	krokiet
cuisine	kuchnia, sposób gotowania
cutlet	kotlet
dining-room	jadalnia

dinner	obiad
dish	potrawa
dry wine	wino wytrawne
espresso	kawa z ekspresu
fillet	filet
food, fare	jedzenie, jadło
fried chicken	pieczony kurczak
fried egg	jajko sadzone
fries	frytki
gin	dżin
glass	szklanka, kieliszek
goulash	gulasz
hamburger	hamburger
hard-boiled eggs	jajka na twardo
ice-cream	lody
jam	dżem
jelly	galareta
juice	sok
knuckle of pork	golonka
layer cake, gateau	tort
leek soup	zupa porowa
lemonade	lemoniada
light ale	piwo jasne
lunch	lunch
mead	miód pitny
menu, bill of fare	jadłospis
milk	mleko
mineral water	woda mineralna
omelet	omlet
onion soup	zupa cebulowa
oxtail soup	zupa ogonowa
picnic	piknik
pint of beer	kufel piwa
piquancy	pikantność
pizza	pizza
poppy-seed cake	makowiec
potato pancakes	placki ziemniaczane
rasher	zraz
ravioli	pierogi
red wine	czerwone wino

roast	pieczeń
roast beef	pieczeń wołowa
roll	bułka
rum	rum
salad	sałatka, surówka
sauce	sos
scrambled eggs	jajecznica
semi-dry wine	wino półwytrawne
soft-boiled eggs	jajka na miękko
spaghetti	spagetti
spare-ribs	kotlety schabowe
starter	zimna zakąska
stewed fruit	kompot
supper	kolacja
tea	herbata
toast	tost
tomato soup	zupa pomidorowa
tonic	tonik
tripe	flaczki
vegetable soup	zupa jarzynowa
vegetarian	wegetarianin
vegetarianism	wegetarianizm
venison	dziczyzna
vodka	wódka
water	woda
whisky	whisky
white wine	białe wino
wholemeal bread	chleb razowy
wine	wino
wine bar	winiarnia
(yellow) pea soup	zupa grochowa
yoghurt	jogurt

WYRAŻENIA PRZYMIOTNIKOWE I PRZYSŁÓWKOWE

spicy, savoury	pikantny
edible	jadalny

appetising	apetyczny
oniony	cebulowy
boiled	gotowany
clear	rzadki
thick	gęsty
fried	smażony
grilled	z rusztu
medium	lekko wypieczone
roasted	opiekane
well-done	dobrze wypieczone

WYRAŻENIA CZASOWNIKOWE

to cook – gotować
to bake – piec
to frie – smażyć
to stew – dusić
to roast – opiekać
to steam – gotować na parze
to simmer – gotować na wolnym ogniu
to poach – gotować w niewielkiej ilości wody
to eat – jadać, jeść
to have a breakfast – jeść śniadanie
to scramble eggs – robić jajecznicę
to be hungry – być głodnym
to eat with appetite – jeść z apetytem
to have a snack – zjeść przekąskę
to get up from the table – wstać od stołu
to sit down to the table – siąść do stołu
to be thirsty – być spragnionym
to overeat – przejeść się
to dine, to have a dinner – jeść obiad

MONEY
PIENIĄDZE

RZECZOWNIKI

advance	zaliczka
alimony	alimenty
allowance *US*	kieszonkowe
bank	bank
bank account	konto bankowe
bank balance	stan konta
bank deposit	depozyt bankowy
bank hours	godziny otwarcia banku
bank note	banknot
benefit	zasiłek
bill	przelew
bill *US*	banknot
bond	obligacja
bonus	dodatek
capital	kapitał
cash	gotówka
cash dispenser	bankomat
cashier	kasjer
change	drobne pieniądze
cheap money	pieniądze pożyczane na niski procent
check *US*	czek
cheque *UK*	czek
coin	moneta
credit	kredyt
currency	waluta
draft	weksel
due date	data płatności
fee	honorarium
form	formularz
funds	fundusze
income	dochód

instalment	rata
interest	oprocentowanie
investment	inwestycja
invoice	faktura
loan	pożyczka
loss	strata
lump sum	opłata gotówkowa
mint	mennica
mortgage	dług hipoteczny
pay	zapłata
payment	zapłata
pension	emerytura
pocket money	kieszonkowe
profit	zysk
rent	czynsz
salary	wypłata miesięczna
savings bank	kasa oszczędności
scholarship	stypendium
share	akcja
share	udział
shareholder	akcjonariusz
stub	odcinek czeku
tax	podatek
taxpayer	podatnik
transfer	przelew
wage	wypłata tygodniowa

WYRAŻENIA PRZYMIOTNIKOWE

bad dept	dług nieściągalny
bank account	rachunek bankowy
bank draft	przelew bankowy
bank loan	pożyczka bankowa
cash card	karta bankomatowa
check book *US*	książeczka czekowa
cheque book *UK*	książeczka czekowa
cheque card *UK*	karta czekowa
child befefit *UK*	zasiłek na dziecko

childbirth allowance	zasiłek porodowy
funeral allowance	zasiłek pogrzebowy
joint property of spouses	małżeńska wspólnota majątkowa
maternity allowance *UK*	zasiłek macierzyński
maternity pay	płatny urlop macierzyński
piad in cash	płatne gotówką
savings book	książeczka oszczędnościowa
sickness benefit *UK*	zasiłek chorobowy

WYRAŻENIA CZASOWNIKOWE

to affort - stać na coś
to be a breadwinner – być żywicielem rodziny
to be in dept - mieć długi
to be in money - być przy forsie
to be short of money - nie mieć pieniędzy
to be sunk in dept – tonąć w długach
to buy sth dirt cheap - kupić coś za grosze
to cash a cheque - zrealizować czek
to change money - wymieniać pieniądze
to earn – zarabiać
to earn a bare living – ledwo zarabiać na życie
to earn one`s living – pracować zarobkowo
to get good wages – dobrze zarabiać
to get out of debt - wyjść z długów
to get paid – dostawać pieniądze
to go bankrupt - bankrutować
to have no money – zarabiać
to make a pot of money on sth – grubo zarobić na czymś
to make a profit of – osiągać zysk
to make a profit on sth - mieć dochód z czegoś
to make money - robić pieniądze
to mantain sb – zarabiać na kogoś
to meet the bill - zapłacić rachunek
to pay by instalments - płacić na raty
to pay cash – płacić gotówką
to run through one`s money - przepuszczać pieniądze

to squander money – trwonić pieniądze
to waste one`s substance - roztrwonić majątek
to work for peanuts – pracować za psie pieniądze

MUSIC
MUZYKA

RZECZOWNIKI

accompaniment	akompaniament
accordion	akordeon
acoustic guitar	gitara akustyczna
album	album
amateurish song	piosenka amatorska
arranger	aranżer
audition	przesłuchanie
bagpipes	kobza
ballad	ballada
band	zespół
barrel-organ	katarynka
basoon	fagot
bass guitar	gitara basowa
baton	batuta
beat	rytm
blues	blues
bow	smyczek
brass band	orkiestra dęta
casette player	magnetofon
castanets	kastaniety
CD (compact disc)	płyta kompaktowa
CD player	odtwarzacz płyt kompaktowych
cello	wiolonczela
choir	chór
choirboy	chórzysta
chorale	chorał
chorus	refren, śpiew chóralny, chór
clarinet	klarnet
classical music	muzyka klasyczna
composer	kompozytor
composition	kompozycja

concert	koncert
concert hall	sala koncertowa
concert-goer	meloman
concerto	koncert z orkiestrą i solistą
conductor	dyrygent
contemporary / modern music	muzyka współczesna
country music	muzyka country
crowd	tłum
cult	kult
cymbals	talerze
dance	taniec
dance music	muzyka taneczna
disco musik	muzyka dyskotekowa
DJ (disc jockey)	disc jockey
double-bass	kontrabas
drum	bęben
duet	duet
earphones / headphones	słuchawki
encoure	bis
etude	etiuda
falsetto	falset
fan	miłośnik, entuzjasta, fan
festival	festiwal
fiddler	skrzypek
flute	flet
folk music	muzyka ludowa
folk song	piosenki ludowe
French horn	waltornia
fugue	fuga
gospel music	muzyka gospel
group / band leader	lider zespołu
guitar	gitara
guitarist	gitarzysta
harmonica	harmonijka ustna
harmony	harmonia
harp	harfa
harpsihord	klawesyn
hi-fi	sprzęt do odtwarzania muzyki
horn	róg
instrument	instrument

interpretation	interpretacja
jazz musician	muzyk jazzowy
jazzband	zespół jazzowy
kettledrum	kocioł
key	tonacja
kind of music	rodzaj muzyki
live concert	koncert na żywo
longplay	płyta długogrająca
lyrics	słowa piosenki
maestro	maestro
mandoline	mandolina
melody / tune	melodia
music form	forma muzyczna
music paper	papier nutowy
music programme	program muzyczny
musician	muzyk
oboe	obój
opera	opera
orchestra	orkiestra
orchestral music	muzyka orkiestralna
organ	organy
percussion	perkusja
performance	występ
piano	pianino
pipe	fujarka
pop band	zespół grający muzykę popularną
pop music	muzyka popularna
prelude	preludium
quartet	kwartet
record	płyta
record label	wytwórnia płytowa
reggae	reggae
reprtoire / repertory	repertuar
requiem	utwór żałobny
rhapsody	rapsod
rhythm	rytm
rock star	gwiazda rockowa
saxophone	saksofon
saxophonist	saksofonista

singer	piosenkarz
single	singiel
soloist	solista
sonata	sonata
song	piosenka
soul music	muzyka soul
soundtrack	muzyka filmowa
spontaneous improvisation	spontaniczna improwizacja
string	struna
symphony	symfonia
symphony orchestra	orkiestra symfoniczna
teledisc	teledysk
trombone	puzon
trumpet	trąbka
trumpeter	trębacz
tuning fork	kamerton
wiolin, fiddle	skrzypce
virtuoso	wirtuoz
vocalist	wokalista
voice	głos
whistle	gwizdek
world-class star	gwiazda światowej sławy

WYRAŻENIA PRZYMIOTNIKOWE I PRZYSŁÓWKOWE

choral	chóralny
crescendo	stopniowo zgłaśniając
dynamic	dynamiczny
memoriable melodies	pamiętne melodie
moving	poruszający
musical	muzyczny
renowned	uznany
sluggish	ospały
sophisticated	wyszukany, wyrafinowany
thrilling	porywający, emocjonujący
throaty	gardłowy
widespread	rozpowszechniony

WYRAŻENIA CZASOWNIKOWE

to be a fan of country music – być fanem muzyki country
to be fond of music – lubić muzykę
to broadcast – nadawać (np. przez radio)
to busk – grać na ulicy dla pieniędzy
to compose – komponować
to develop own one's style – rozwinąć swój własny styl
to drive the audience mad – doprowadzić publiczność do szaleństwa
to gain poularity – zdobywać popularność
to get an enjoyment from music – czerpać przyjemność z muzyki
to give a concert – dać koncert
to go into ecstasies – wpadać w zachwyt
to have a good ear – mieć dobry słuch
to have an ear for music – znać się na muzyce
to hear music in the background – słyszeć muzykę w tle
to imrovise – improwizować
to listen carefully – uważnie słuchać
to make a name – zdobyć sławę
to make somebody famous – uczynić kogoś sławnym
to perform music – wykonywać muzykę
to play by ear – grać ze słuchu
to play the piano – grać na pianinie
to prefer classical music – preferować muzykę klasyczną
to scream for an encore – wołać o bis

NATURE
NATURA

RZECZOWNIKI

acid rains	kwaśne deszcze
air pollution	zanieczyszczenie powietrza
ant	mrówka
atmosphere	atmosfera
bat	nietoperz
beak	dziób
bee	pszczoła
birch	brzoza
branch	gałąź
butterfly	motyl
carbon dioxide	dwutlenek węgla
camel	wielbłąd
cave	jaskinia
claw	pazur
climate	klimat
cliff	urwisko
cloud	chmura
conservation	ochrona środowiska
contamination	zatrucie
corn	zboże, kukurydza
crab	krab
deforestation	wycinanie lasów
desert	pustynia
dolphin	delfin
drought	susza
duck	kaczka
dumping place	wysypisko śmieci
eagle	orzeł
ecology	ekologia
environment	środowisko
estuary	ujście rzeki
exploatation of forests	eksploatacja lasów

extinct species	wymarłe gatunki
fir	jodła
fish	ryba
flock of sheep	stado owiec
flood	powódź
fly	mucha
forest	las
fountain	fontanna
frog	żaba
fumes	spaliny
giraffe	żyrafa
global warming	globalne ocieplenie
grass	trawa
herbs	zioła
herd of cattle	stado bydła
hill	wzgórze
hive	ul
hole in the ozone layer	dziura ozonowa
hurricane	huragan
lake	jezioro
lamb	jagnię
lawn	trawnik
leaf	liść
lighting	błyskawica
litter	śmieci
mane	grzywa
maple	klon
meadow	łąka
mosquito	komar
moth	ćma
mountain	góra
national park	park narodowy
natural habit	środowisko naturalne
nest	gniazdo
oak	dąb
oil spills	wycieki ropy
orchard	sad
ozone hole	dziura ozonowa
ozone layers	warstwy ozonowe
pack of wolves	stado wilków

parrot	papuga
peacock	paw
peel	skórka
pesticides	pestycydy
pigeon	gołąb
pig	świnia
pine	sosna
plain	równina
plant	roślina
pond	staw
poplar	topola
puppy	szczeniak
rabbit	królik
rain	deszcz
range	łańcuch górski
recycling	przetwarzanie
recycling center	skup surowców wtórnych
root	korzeń
sand	piasek
seagull	mewa
seed	nasiono
sewage	ścieki
shark	rekin
shoal of fish	ławica ryb
snake	wąż
snail	ślimak
soil	gleba
soil erosion	erozja gleby
solar energy	energia słoneczna
sparrow	wróbel
species	gatunki
species extinction	wymieranie gatunków
spider	pająk
spruce	świerk
stone	kamień
stream	strumień
swarm of bees	rój os
tail	ogon
tanker leaks	przecieki z tankowców
thunder	grzmot

twig	gałązka
trunk	pień
unleaded petrol	benzyna bezołowiowa
valley	dolina
vegetation	roślinność
wasp	osa
waste paper	makulatura
water	woda
water supply	zasoby wodne
web	pajęczyna
whale	wieloryb
willow	wierzba
worm	dżdżownica

WYRAŻENIA PRZYMIOTNIKOWE

artificial fertilizers	sztuczne nawozy
cloudy weather	pochmurna pogoda
chemicals	chemikalia
ecollogically safe	bezpieczne dla środowiska
endangered species	zagrożone gatunki
environmentally friendly	przyjazny dla środowiska
fallen leaves	spadające liście
greenhouse effect	efekt cieplarniany
hazy sunshine	zachmurzone niebo
heavy rain	ostry deszcz
natural habitat	środowisko naturalne
protecting species	gatunki chronione
rare plants	rzadkie rośliny
recycled	przetworzone
scattered showers	miejscowe deszcze
savage animals	dzikie zwierzęta
unpolluted	czyste

WYRAŻENIA CZASOWNIKOWE

to be environmentally aware – być świadomym zagrożeń środowiskowych
blossom – kwitnąć
be in danger of dying out – być na wymarciu
butterflies flutter – motyle trzepoczą
to chirp – ćwierkać
to contaminate - zanieczyszczać
to die out – wymrzeć
to dump - wyrzucać
to expel fumes – wydalać spaliny
flowers are in bloom – kwiaty są w pąkach
to grow crops – uprawiać rośliny
to inhabit - zamieszkiwać
to live at large – żyć na wolności
to live in captivity – żyć na wolności
to live in the wild – żyć w dzikich warunkach
to pollute - zanieczyszczać
to preserve nature – ochraniać naturę
snakes slither – węże pełzają
to spin web – prząść pajęczynę
to use unleaded petrol – używać bezołowiowej benzyny
the sky is cast with clouds – niebo jest zachmurzone

OFFICE
BIURO

RZECZOWNIKI

accountancy, bookkeeping	księgowość
accountant, bookkeeper	księgowy
administration	kierownictwo
agreement	zgoda
answer, reply	odpowiedź
answering machine	automatyczna sekretarka
application	podanie
ball-point pen	długopis
birth certificate	akt urodzenia
booklet	broszura
broker	makler
bureau	biuro, biurko
bureaucracy	biurokracja
bureaucrat	biurokrata
calculator	kalkulator
carbon paper	kalka
civil servant	urzędnik państwowy
clerk	urzędnik
clip, fastener	spinacz
competence	kompetencja
conference	konferencja
delay z	włoka
desk	biurko
dictaphone	dyktafon
dismissal	dymisja
document, paper	dokument
documentation	dokumentacja
dossier, records, files	akta
drawer	szuflada
dustbin	kosz na śmieci
duty	obowiązek
envelope	koperta

excise	akcyza
extension	telefon wewnętrzny
file	kartoteka, skoroszyt
file binder	segregator
folder	teczka do akt
form	formularz
glue	klej
identity card	dowód osobisty
index	skorowidz
information	informacja
jobcentre	urząd zatrudnienia
juxtaposition	zestawienie
lamp	lampka
legal deed	akt prawny
licence	licencja
magistracy	magistrat
management	zarząd, kierownictwo, dyrekcja
manager, director	dyrektor
manager, head, boss	kierownik
manageress	kierowniczka
matter, business	sprawa
meeting	zebranie
notary	notariusz
office boy	goniec
office building	biurowiec
office hours	godziny urzędowania
official	wyższy urzędnik
passport office	biuro paszportowe
permit, permission	zezwolenie
petitioner	petent
photocopy	fotokopia
pigeon-hole	przegródka
poll, questinnaire	ankieta
post office	urząd pocztowy
postal order	przekaz pocztowy
punch	dziurkacz
purchase deed	akt kupna
reception	recepcja
regiser office, registry	urząd stanu cywilnego

report	protokół
request	prośba
responsibility	odpowiedzialność
ruler	linijka
salary	pensja
secretary	sekretarka
shorthand typist	stenotypista
signature	podpis
staple	zszywka
stapler	zszywacz
steal, stamp	pieczątka
stock	akcje
summit talks	konferencja na szczycie
tax	podatek
term, time-limit	termin
typewriter	maszyna do pisania
typist	maszynistka
VAT – Value Added Tax	podatek vat

WYRAŻENIA PRZYMIOTNIKOWE I PRZYSŁÓWKOWE

bureaucratic	biurokratyczny
careful	staranny
clerical	urzędniczy
competent	kompetentny
managerial	kierowniczy
notarial	notarialny
official	urzędowy
patient	cierpliwy
precise, accurate	dokładny
responsible	odpowiedzialny
secretarial	dotyczący spraw sekretarki
typewritten	napisane na maszynie
writen	pisemny

WYRAŻENIA CZASOWNIKOWE

to apply – złożyć wniosek
to apply for – złożyć podanie
to be dismissed – otrzymać dymisję
to clip – spinać
to convene – zwołać zebranie
to corrupt – skorumpować
to dictate a letter – dyktować list
to dismiss – zwolnić
to fill a form – wypełniać formularz
to fill in a questionnaire – wypełnić ankietę
to hold a conference – odbyć konferencję
to lodge a complaint – złożyć skargę
to manage – kierować, zarządzać
to resign – podać się do dymisji
to segregate – segregować
to settle the matter – załatwić sprawę
to sign – złożyć podpis
to sign one's name – podpisywać się
to staple – zszywać
to trace – kalkować
to work in an office – pracować w biurze

PERSONAL THINGS
RZECZY OSOBISTE

RZECZOWNIKI

bag	torba
ballpen	długopis
business card	wizytówka
calendar	kalendarz
cane	laska
chainlet	łańcuszek
checque	czek
cigarette	papieros
comb	grzebień
compact	puderniczka
condom	prezerwatywa
cotton ball	waciki kosmetyczne
cream	krem
credit card	karta kredytowa
cygar	cygaro
dental floss	nici dentystyczne
deodorant	dezodorant
document	dokument
driving licence	prawo jazdy
folder	papierowa teczka
glasses	okulary
hairbrush	szczotka do włosów
handbag	torebka damska
handkerchief	chusteczka
holdall bag	torba podróżna
identity card	dowód osobisty
key	klucz
lighter	zapalniczka
lipstick	pomadka do ust
matches	zapałki
mirror	lusterko
money	pieniądze

nail clippers	cążki do paznokci
nail file	pilniczek do paznokci
nail polish	lakier do paznokci
nail scissors	nożyczki do paznokci
nail-brush	szczoteczka do paznokci
notebook	notes, notatnik
passport	paszport
penknife	scyzoryk
perfume, scent	perfumy
purse	portmonetka
razor	brzytwa, golarka
sanitary towel	podpaska higieniczna
shampoo	szampon
shopping bag	torba na zakupy
siutcase	walizka
soap	mydło
sun-glasses	okulary przeciwsłoneczne
tampoon	tampon
tissue	chusteczka higieniczna
tissues	chusteczki higieniczne
toiletries	przybory toaletowe
toothbrush	szczoteczka do zębów
towel	ręcznik
tweezers	pęsetka kosmetyczna
umbrella	parasol
walet	portfel
watch	zegarek

WYRAŻENIA PRZYMIOTNIKOWE I PRZYSŁÓWKOWE

handy	poręczny
helpful	pomocny
personal	osobisty
private	prywatny
providentially	przezornie
useful	pożyteczny

WYRAŻENIA CZASOWNIKOWE

to borrow – pożyczać od kogoś
to brush – szczotkować
to comb – czesać się
to give a light – podać ogień
to lend – pożyczać komuś
to make-up – robić makijaż
to pay – płacić
to smoke a cigarette – palić papierosa

POLICY
POLITYKA

RZECZOWNIKI

act	akt prawny
administration	administracja
aide	asystent, pomocnik
ambassador	ambasador
amendments	poprawki
American embassy	ambasada amerykańska
anarchist	anarchista
anarchy	anarchia
authorities	władze
bill	ustawa
blockade	blokada
bond	zobowiązanie, umowa
budget	budżet
bureaucracy	biurokracja
by-election	wybory dodatkowe
capital	stolica
capitalism	kapitalizm
chairman	przewodniczący
chancellor	kanclerz
CIA – Central Intelligence Agency	Centralna Agencja Wywiadowcza
citizen	obywatel
civil rights	prawa obywatelskie
coalition	koalicja
commissioner	komisarz
committee	komitet
communism	komunizm
conspiracy	konspiracja
constitution	konstytucja
consulate	konsulat
corruption	korupcja
council	rada

councillors	radni
debate	debata
decree	dekret, rozporządzenie
deficit	deficyt
democracy	demokracja
department	departament
Department of Justice	Ministerstwo Sprawiedliwości
Department of the Interior *US*	Ministerstwo Spraw Wewnętrznych
deputy prime minister	wiceminister
dictatorship	dyktatura
diplomat	dyplomata
disarmament	rozbrojenie
disrict	dystrykt, rejon
dissident	dysydent
elections	wybory
electorate	elektorat
emigration	emigracja
emperor	imperator, cesarz
empire	imperium
Executive Branch	władza wykonawcza
fascism	faszyzm
FBI – Federal Bureau of Investigation	Federalne Biuro Śledcze
foreign policy	polityka zagraniczna
genral election	wybory powszechne
government	rząd
governor	gubernator
head of state	głowa państwa
imigration	imigracja
king	król
law	prawo
liberal	liberał
lobby	grupa nacisku
martial law	stan wojenny
mayor	burmistrz
minister	minister
ministry	ministerstwo
Ministry of Defence	Ministerstwo Obrony
minority	mniejszość

mint	mennica
monarchy	monarchia
motion	wniosek
nationalist	nacjonalista
old-age pension	państwowa emerytura
ombudsman	rzecznik praw obywatelskich
opposition	opozycja
parliament	parlament
party	partia
personality cult	kult jednostki
PM, prime minister	premier
political asylum	azyl polityczny
political party	partia polityczna
politician	polityk
politics	sprawy polityczne
poll	badanie opinii publicznej
polling station	lokal wyborczy
polling station	punkt (lokal) wyborczy
political arena	arena polityczna
president	prezydent
public protest	protest publiczny, strajk
queen	królowa
quorum	kworum
referendum	referendum
reform	reforma
regim	reżim
republic	republika
second reading	drugie czytanie
secret service	tajne służby
security	bezpieczeństwo
Security Council	Rada Bezpieczeństwa (ONZ)
self-government	samorząd
Senate	senat
shadow cabinet	gabinet cieni
socialism	socjalizm
speech	przemówienie
spokesman	rzecznik prasowy
tax	podatek
the Foreign and Commonwealth Office *UK*	Ministerstwo Spraw Zagranicznych

the Home Office *UK*	Ministerstwo Spraw Wewnętrznych
the House of Commons	Izba Gmin
the House of Lords	Izba Lordów
the left	lewica
the legal system	system prawny
the national assembly	zgromadzenie narodowe
the right	prawica
the State Department *US*	Ministerstwo Spraw Zagranicznych
the United Nations	ONZ
town hall	ratusz
trade unions	związki zawodowe
treason	zdrada stanu
tsar	car
unemployment benefit	zasiłek dla bezrobotnych
vice president	wiceprezydent
voivodship	województwo
White House	Biały Dom
working majority	wymagana większość

WYRAŻENIA PRZYMIOTNIKOWE I PRZYSŁÓWKOWE

federal	federalny
fiscal	fiskalny, podatkowy
headed by	pod przewodnictwem
illegal (imigrants)	nielegalni (imigranci)
independent	niepodległy
liberal	liberalny
ministerial	ministerialny
political	polityczny
politically	politycznie
short-sighted policy	krótkowzroczna polityka
top secret	ściśle tajne

WYRAŻENIA CZASOWNIKOWE

The government has backed away from plans... – Rząd wycofał się z planów...

to appoint – mianować
to appoint officials – mianować urzędników
to be in power – być u władzy
to collaborate with the enemy – kolaborować (współpracować) z wrogiem
to come into power – dojść do władzy
to cut taxes – obniżyć (obciąć) podatki
to debate – debatować
to decentralise – decentralizować, rozbijać
to go into politics – zająć się polityką
to lose an election – przegrać wybory
to privatise – prywatyzować
to reign – panować
to resign – podać się do dymisji
to shape foreign policy – kształtować politykę zagraniczną
to take office – objąć urząd
to tax – opodatkować
to veto – zawetować
to vote – głosować

RAILWAY STATION
DWORZEC KOLEJOWY

RZECZOWNIKI

adjustable seat	siedzenie z regulacją
arrivals timetable	rozkład przyjazdów
baggage *US*	bagaż
bench	ławka
berth	miejsce leżące
car *US*	wagon
carriage	wagon
carriage door	drzwi wagonu
clock	zegar
compartment	przedział
currency exchange office	kantor wymiany walut
departures timetable	rozkład odjazdów
engine driver	maszynista
escalator	ruchome schody
fare	cena biletu
guard	kierownik pociągu
holdaway table	stolik rozkładany
information office	informacja
left luggage office	przechowalnia bagażu
left luggage receipt	kwit bagażowy
lost property	biuro rzeczy znalezionych
loudspeaker	głośnik
luggage	bagaż
megaphone	megafon
nonsmoking compartment	przedział dla niepalących
pass	bilet darmowy
platform	peron
platform entrance	wyjście na peron
platform number	numer peronu
railroad *US*	kolej
railway	kolej
reductions for children	zniżka dla dzieci

reservation	rezerwacja
seat	siedzenie
seat reservation	miejscówka
second-class ticket	bilet drugiej klasy
smoking compartment	przedział dla palących
station master	zawiadowca stacji
subway to platforms	przejście podziemne na perony
subway *US*	metro
ticket	bilet
ticket inspector	konduktor
ticket machine	automat z biletami
ticket office	kasa biletowa
timetable	rozkład jazdy
toilet	ubikacja
train	pociąg
tube *UK*	metro
underground	metro
waiting room	poczekalnia
window	okno

WYRAŻENIA PRZYMIOTNIKOWE

cabin car	wagon służbowy
cattle truck	wagon bydlęcy
commutation ticket *US*	bilet okresowy
delayed train	opóźniony pociąg
dining car	wagon restauracyjny
directional sign	tablica kierunkowa
eailway ticket	bilet kolejowy
electric train	pociąg elektryczny
emergency door	drzwi awaryjne
Eurocity train	pociąg Eurocity
fast train	pociąg pośpieszny
goods train	pociąg towarowy
half-price ticket	bilet zniżkowy
high-speed train	pociąg szybkobieżny
indicator board	tablica informacyjna
Intercity train	pociąg Intercity

international train	pociąg międzynarodowy
local train	pociąg podmiejski
long-distance express train	pociąg ekspresowy
long-distance train	pociąg dalekobieżny
luggage car *US*	wagon bagażowy
luggage trolley	wózek bagażowy
luggage van	wagon bagażowy
one-way ticket	bilet w jedną stronę
passenger coach	wagon osobowy
passenger train	pociąg osobowy
phone box	budka telefoniczna
platform sign	tablica z numerem peronu
postal van	wagon pocztowy
railroad ticket *US*	bilet kolejowy
railway map	mapa kolejowa
railway ticket	bilet kolejowy
rumble seat	siedzenie dodatkowe
season ticket	bilet okresowy
siding track	boczny tor
single ticket	bilet w jedną stronę
sleeping car	wagon sypialny
station sign	tablica z nazwą stacji kolejowej
the best connection to	najlepsze połączenie do
through train	pociąg bezpośredni
valid ticket	ważny bilet

WYRAŻENIA CZASOWNIKOWE

Is this seat taken? – Czy to miejsce jest zajęte?
The seat is taken. – Miejsce jest zajęte.
to be delayed – być opóźnionym
to buy a ticket – kupić bilet
to go by train – jechać pociągiem
to have a connection – mieć połączenie
to make reserwation – dokonać rezerwacji
to register the luggage – nadać bagaż
to steal a ride – jechać na gapę
What is the train fare to ...? – Ile kosztuje pociąg do ... ?

228

RELIGION
RELIGIA

RZECZOWNIKI

All Saints` Day	Wszystkich Świętych
altar	ołtarz
archbishop	arcybiskupstwo
Ascension Day	Święto Wniebowstąpienia
Ash Wednesday	Środa Popielcowa
atheist	ateista
baptism	chrzciny
baptismal	chrzestny
baptist	baptysta, chrzciciel
belief in God	wiara w Boga
believer	wierzący
Bible	Biblia
bishop	biskup
blessing	błogosławieństwo
Boxing Day	drugi dzień Świąt Bożego Narodzenia
Buddism	buddyzm
cardinal	kardynał
Catholic	katolik
Catholicism	katolicyzm
chaplain	kapelan
Christian	chrześcijanin
Christianity	chrześcijaństwo
Christmas Day	Boże Narodzenie
Christmas Eve	wigilia Bożego Narodzenia
church	kościół
clergy	duchowieństwo
cloister	klasztor
communion	komunia
confession	spowiedź
convent	zakon żeński
conversion	nawrócenie

Corpus Christi	Boże Ciało
cross	krzyż
crucifixion	ukrzyżowanie
cult	kult
denomination	wyznanie
dissenter	dysydent
Easter Day	Niedziela Wielkanocna
Easter Monday	Poniedziałek Wielkanocny
epiphany	święto Trzech Króli
faith	wiara
follower	wyznawca
font	chrzcielnica
friar	zakonnik
funeral	pogrzeb
God	Bóg
goddaughter	chrześniaczka
godfather	ojciec chrzestny
godmother	matka chrzestna
godson	chrześniak
Good Friday	Wielki Piątek
high priest	arcykapłan
Hinduism	hinduizm
Holy Week	Wielki Tydzień
Islam	islam
Judaism	judaizm
Lent-Post	Wielki Post
mass	msza
Maundy Thursday	Wielki Czwartek
Methodist	metodysta
minaret	minaret
minister	pastor
monastery	zakon męski
monk	mnich
mosque	meczet
Muslim	muzułmanizm
non-believer	niewierzący
nun	zakonnica
Palm Sunday	Niedziela Palmowa
parish	parafia
parson	proboszcz

penance	pokuta
pope	papież
prayer	modlitwa
Presbyterian	prezbiterianin
priest	duchowny, ksiądz
prophet	prorok
Protestantism	protestantyzm
quaker	kwarier
religious diversity	różnorodność religijna
sacrament	sakrament
sect	sekta
service	nabożeństwo
Shrove Tuesday	tłusty wtorek
sikhism	religia Sikhów
Thanksgiving Day	Święto Dziękczynienia
the Mormons	mormoni
Trinity Sunday	święto Trójcy Świętej
vicar	proboszcz
Virgin Mary Ascension Day	Wniebowzięcie NMP
wedding	ślub
Whit Sunday	Zielone Świątki
worship	wyznanie religijne

WYRAŻENIA PRZYMIOTNIKOWE

anticlerical	antyklerykalny
Christian	chrześcijański
Christian feast	chrześcijańskie święto
Church of England	kościół anglikański
Easter eggs	wielkanocne jaja
free practice	swobodne praktykowanie
practising Catholic	praktykujący katolik
prevalent religion	panująca religia
religious	religijny
religious faith	wiara religijna
religious fanatic	fanatyk religijny
religious matters	sprawy religijne
religious persecution	prześladowanie religijne

senior clergy   starsze duchowieństwo
unreligious   nierreligijny

WYRAŻENIA CZASOWNIKOWE

to baptize – chrzcić
to be deeply religious – być głęboko religijnym
to be unreligious – nie wyznawać żadnej religii
to be unticlerical – być antyklerykalnym
to believe in God – wierzyć w Boga
to confess – spowiadać się
to get married – brać ślub
to grant a divorce – udzielić rozwodu
to keep the faith – trwać w wierze
to penance - pokutować
to say a prayer – modlić się
to trust – ufać

RESTAURANT
RESTAURACJA

RZECZOWNIKI

appetizers	przystawki
bowl	miseczka, miska
bill	rachunek
chef	szef kuchni
chief steward	ochmistrz (szef służby)
cocktail	koktail
coffee without sugar	kawa bez cukru
cook	kucharz
covering	nakrycie
cuisine	sposób przyrządzania potraw
cup	filiżanka
cup of tea	filiżanka herbaty
dessert	deser
dessert spoon	łyżeczka deserowa
diner	ktoś, kto jada w restauracjach
dinner plate	płytki talerz
dish, course	danie
drink, beverage	napój
eatery	restauracja
food	jedzenie
fork	widelec
gastronomy	gastronomia
glass	szklanka, kieliszek
kitchen	kuchnia
knife	nóż
ladle	łyżka wazowa
licence	licencja, pozwolenie (np. na podawanie alkoholu)
menu, bill of fare	jadłospis, menu
napkin	serwetka
palate	podniebienie, smak
patron	stały klient

place	miejsce
plate	talerz
portion	porcja
refresing drink	napój chłodzący
salad	sałatka, surówka
saltshaker	solniczka
saucer	spodek
seasoning	przyprawa, przyprawianie
self-service	samoobsługa
service	obsługa
service charge, tip	napiwek
set menu	dania z karty
smack, savour	posmak
snacks	przekąski
soft drink	napój bezalkoholowy
soup	zupa
soup plate	głęboki talerz
spoon	łyżka
staff, personnel	personel
starter	przystawka
strong drink	napój alkoholowy
sugar bowl	cukierniczka
table	stolik
table-cloth	serweta
table-spoon	łyżka stołowa
take-away dish	danie na wynos
teacup	filiżanka do herbaty
teaspoon	łyżeczka do herbaty
terrace	taras
three-course dinner	obiad z trzech dań
tumbler	szklaneczka
vegetables	jarzyny
waiter	kelner
waitress	kelnerka
wine	wino

WYRAŻENIA PRZYMIOTNIKOWE I PRZYSŁÓWKOWE

an Italian restaurant	włoska restauracja
busy	przepełniona
chic	szykowny, elegancki
cold	zimny
cultural	kulturalny
dietetic	dietetyczny
edible	jadalny
fancy	wymyślny
fattening	tuczący
first-class	pierwszorzędna
French cuisine	francuska kuchnia
gastronomic	gastronomiczny
heavy	ciężkostrawny
homely atmosphere	domowa atmosfera
hot	ciepły, gorący
light	lekki
outrageous prices	szokujące ceny
peppery	pieprzny
posh	szykowny, z klasą
salty	słony
sour	kwaśny
spicy	ostry
superb	wspaniały, znakomity
sweet	słodki
tasteless	bez smaku
two-star	dwugwiazdkowy
uneatable	niejadalny
vegetarian	wegetariański

WYRAŻENIA CZASOWNIKOWE

Check, please. – Proszę o rachunek.
Coffee, please. – Proszę o kawę.

I know of a good restaurant. – Znam dobrą restaurcję.
Just a minute. – Chwileczkę.
reservation is a must – rezerwacja jest koniecznością
Smoking is not allowed. – Nie wolno palić.
to board – stołować się, jadać
to book – zarezerwować
to call the waiter – zawołać kelnera
to come across – natknąć się, trafić przypadkiem
to dine – jeść obiad
to eat out, to dine out – jeść poza domem
to fill up with people – napełnić się ludźmi
to give a tip – dać napiwek
to go to a restaurant – iść do restauracji
to have a lunch in a restaurant – jeść lunch w restauracji
to keep the change – zatrzymać resztę
to lay the table – nakryć do stołu
to leave a tip – zostawić napiwek
to look through the menu – przeglądać jadłospis
to order a meal – zamówić posiłek
to recommend sth – polecać coś
to run a restaurant – prowadzić restaurację
to salt – posolić
to serve – zaserwować
to service – obsługiwać
to sip – pić małymi łyczkami
to sweaten – posłodzić

SCHOOL
SZKOŁA

RZECZOWNIKI

biology	biologia
blackboad	tablica
board rubber	*UK* gąbka
certificate	świadectwo
chalk	kreda
chemistry	chemia
classroom	klasa
crib	ściągawka
degree	stopień naukowy
desk	biurko
diploma	dyplom
dislike for school	niechęć do szkoły
entrance exams	egzaminy wstępne
eraser *US*	gąbka
exam	egzamin
exam in physics	egzamin z fizyki
examination	egzamin
examiner	egzaminator
exercise book	zeszyt ćwiczeń
failure	niepowodzenie
final exam	egzamin końcowy
form master	wykładowca
freshman	student pierwszego roku
geography	geografia
glue	klej
grades *US*	oceny
graduate	absolwent
insubordination	nieposłuszeństwo
marks	oceny
mathematics	matematyka
memory	pamięć
pen	długopis

pencil	ołówek
pencil sharpener	temperówka
phisics	fizyka
primary school	szkoła podstawowa
pupil	uczeń
reburke	nagana
resit	egzamin poprawkowy
satchel	tornister
schedule *US*	rozkład zajęć
school mate	kolega szkolny
school report	wyniki w nauce za semestr
school-fellow	kolega szkolny
secondary school	szkoła średnia
self-discipline	dyscyplina wewnętrzna
semester	semestr
senior	student ostatniego roku
sophmore	student drugiego roku
subject	przedmiot
task	zadanie
teacher	nauczyciel
teacher of English	nauczyciel angielskiego
term	okres
thoughtlessness	bezmyślność
timetable *UK*	rozkład zajęć
whiteboard	biała tablica
zeal for knowledge	zapał do nauki

WYRAŻENIA PRZYMIOTNIKOWE

ambitious pupil	ambitny uczeń
arrogant pupil	arogancki uczeń
average achivements	przeciętne osiągnięcia
bad marks	złe stopnie
bright pupil	rozgarnięty uczeń
clever	zdolny
conceived pupil	zarozumiały uczeń
debating club	klub dyskusyjny
demanding teacher	wymagający nauczyciel

difficult exam	trudny egzamin
disorganized	niezorganizowany
dull	tępy
easy exam	łatwy egzamin
good marks	dobre stopnie
hard-working	pracowity
ideal teacher	idealny nauczyciel
inborn capacities	wrodzone zdolności
insubordinate	nieposłuszny
just teacher	sprawiedliwy nauczyciel
lazy	leniwy
lenient teacher	łagodny nauczyciel
mature	dojrzały
oral exam	egzamin ustny
patient teacher	cierpliwy nauczyciel
poor teacher	kiepski nauczyciel
positive attitude	pozytywne nastawienie
severe teacher	surowy nauczyciel
slow	powolny
strict teacher	surowy nauczyciel
tolerant teacher	tolerancyjny nauczyciel
trouble maker	rozrabiacz
unambitious	mało ambitny
well-disciplined pupil	zdyscyplinowany uczeń
written exam	pisemny egzamin

WYRAŻENIA CZASOWNIKOWE

to absorb new information – przyswajać nowe informacje
to achive good results – uzyskiwać dobre wyniki
to attend classes regularly – uczęszczać regularnie na zajęcia
to be a backward pupli – być zaniedbanym w nauce
to be a genius for physics -   być geniuszem w fizyce
to be a long way behind the rest of the class – nie nadążać za klasą
to be bottom of the class - być najgorszym w klasie
to be expelled from school – być wyrzuconym ze szkoły
to be firm with the class – krótko trzymać klasę

to be given to study – być pochłonięty nauką
to be reluctant to go to school – niechętnie chodzić do szkoły
to be suspended from school – być zawieszonym w prawach ucznia
to be the teachers pet – być ulubieńcem nauczycieli
to be top of the class – być najlepszym w klasie
to cheat in an exam – oszukiwać na egzaminie
to cope with – radzić sobie z
to cram – wkuwać
to do a degree – uzyskać tytuł
to do well at school – dobrze sobie radzić w szkole
to fail the exam – oblać egzamin
to get a place at a university – zostać przyjętym na studia
to get good marks – dostawać dobre stopnie
to get promotion – otrzymać promocję
to graduate from university – ukończyć uniwersytet
to have much talent for figures - mieć zacięcie do matematyki
to keep discipline – trzymać dyscyplinę
to lag behind in all the subjects – mieć zaległości we wszystkich przedmiotach
to make progress – czynić postępy
to miss classes – opuszczać zajęcia
to pass the exam – zdać egzamin
to play truant - chodzić na wagary
to praise - chwalić
to prepare for the exam – przygotowywać się do egzaminu
to repeat a year – powtarzać rok
to scape through in chemistry – przebrnąć przez chemię
to sit for the examination – przystępować do egzaminu
to swot – wkuwać
to take an examination – zdawać egzamin
to take notes - notować
to thirst for knowledge – być żądnym nauki

SCIENCE
NAUKA

RZECZOWNIKI

academy	akademia
accident, case	przypadek
achievement	osiągnięcie
analysis	analiza
analyst	analityk
applied science	nauka stosowana
assistant	asystent
breakthrough	przełom
by-product	produkt uboczny
calculations	obliczenia
chemistry laboratory	laboratorium chemiczne
combustion	spalanie (chemiczne)
conclusion	wniosek
condensation	zagęszczenie, kondensacja
condition	warunek
conductor	przewodnik
conference	konferencja
curiosity	ciekawostka, ciekawość
data	dane
definition	definicja
description	opis
diffusion	dyfuzja
discoverer	odkrywca
discovery	odkrycie
dissertation	rozprawa naukowa
electricity	elektryczność
electronics	elektronika
evidence, proof	dowód
exception	wyjątek
expedition	wyprawa
experiment	eksperyment

expert	ekspert
explanation	wyjaśnienie
explorer	badacz
fact	fakt
findings	odkrycia naukowe
grant, scholarship	stypendium
gravity	grawitacja
humanist	humanista
hypothesis	hipoteza
idea	pomysł
idea, notion	pojęcie
institue	instytut
invention	wynalazek
inwentor	wynalazca
knowledge	wiedza
laboratory	laboratorium
leader	lider
logic	logika
mathematician	matematyk
mathematics, math	matematyka
method	metoda
museum	muzeum
natural sciences	nauki przyrodnicze
observation	obserwacja
observatory	obserwatorium
physical sciences	nauki ścisłe
pioneer	pionier
practical device	praktyczne urządzenie
practice	praktyka
precipitate	osad
probability	prawdopodobieństwo
process	proces
professor	profesor
professorship	profesura
progress, advance	postęp
property	właściwość
pure sciences	nauki teoretyczne
reaction	reakcja
research	badania naukowe
research institute	instytut naukowo-badawczy

research work	praca badawcza
resistor	opornik
rule	zasada
science fiction	fantastyka
scientific experiments	eksperymenty naukowe
scientist	naukowiec
sediment	osad
social science	nauki społeczne
solution	rozwiązanie
study	studium
substance	materiał, substancja
synthesis	synteza
talent	talent
test-tube	probówka
the frontiers of science	granice nauki
the law of gravity	prawo grawitacji
the laws of nature	prawa natury
theory	teoria
thesis	teza
technology	technika, nauki techniczne
university	uniwersytet
velocity	prędkość

WYRAŻENIA PRZYMIOTNIKOWE I PRZYSŁÓWKOWE

awarded	nagrodzony
by mistake, by accident	przez przypadek
complicated, complex	skomplikowany
essential, significant	znaczący
experimental	eksperymentalny
great impact	wielki wpływ
in practice	w praktyce
in theory	w teorii
mathematical	matematyczny
original	oryginalny
out of date	przestarzały

outstanding	wybitny
probable	prawdopodobny
radioactive	promieniotwórczy
reliable	wiarygodny
scienific	naukowy
supernatural	nadprzyrodzony
technical	techniczny

WYRAŻENIA CZASOWNIKOWE

Carbon reacts with oxygen to produce carbon dioxide. – Węgiel reaguje z tlenem by stworzyć dwutlenek węgla.

to absorb – absorbować, wchłaniać
to carry out experiments – przeprowadzać eksperymenty
to check – sprawdzać
to condense – kondensować, zagęszczać
to construct – konstruować
to contribute – wnosić udział
to develop – rozwijać
to diffuse – dyfuzować, rozpraszać, przenikać
to dilute – rozcieńczać
to dissolve – rozpuszczać, roztapiać, rozwiązywać
to dissolve in water – rozpuszczać w wodzie
to distil – destylować
to evaporate – parować
to experiment – eksperymentować
to fascinate – fascynować
to ferment – fermentować
to fuse – spalić, stopić się
to improve – ulepszyć, udoskonalić
to justify – uzasadniać
to learn, to study – uczyć się
to obtain – uzyskać
to outstrip – wyprzedzić, zdystansować
to protect – chronić
to publish – publikować
to radiate – promieniować

to reflect – odbijać, odzwierciedlać, zastanawiać się
to soak – nasiąkać
to synthesize – syntetyzować
to transform – zmienić, przeobrazić
to use – stosować

SHAPES AND PROPRIETY
KSZTAŁTY I WŁAŚCIWOŚCI

RZECZOWNIKI

circle	kółko
circuit	okrąg
cone	stożek
cube	sześcian
cylinder	walec
diamond	diament
dimension	wymiar
oval	owal
perpendicular	prostopadłościan
piramid	piramida
prism	graniastosłup
quality	cecha
quardangle	czworokąt
quardilateral	czworobok
rectangle	prostokąt
square	kwadrat
star	gwiazda
triangle	trójkąt

WYRAŻENIA PRZYMIOTNIKOWE

bad	zły
big	duży
blunt	tępy
cheap	tani
checked	w kratę
clean	czysty
cold	zimny

cubic	sześcienny
dark	ciemny
deep	głęboki
difficult	trudny
dirty	brudny
disproportionate	nieproporcjonalny
easy	łatwy
expensive	drogi
fashionable	modny
fast	szybki
fleshy	mięsisty
good	dobry
hard	twardy
hazy	mglisty
heavy	ciężki
hot	gorący
huge	wielki
impermeable	nieprzemakalny
light	lekki
long	długi
low	niski
narrow	wąski
new	nowy
odd	nieparzysty
old	stary
oval	owalny
plain	gładki
practical	praktyczny
pretty	ładny
proportionate	proporcjonalny
protective	ochronny
rectangular	prostokątny
round	okrągły
shallow	płytki
shapely	kształtny
sharp	ostry
short	krótki
small	mały
soft	miękki
spongy	gąbczasty

spotted	w groszki
square	kwadratowy
striped	w paski
tall	wysoki
thick	gruby
transparent	przezroczysty
trapezium	trapez
triangular	trójkątny
ugly	brzydki
unclean	nieczysty
uncommon	niepowszedni
unilateral	jednostronny
unpractical	niepraktyczny
unshapely	niekształtny
untransparent	nieprzezroczysty
warm	ciepły
weak	słaby
wide	szeroki

WYRAŻENIA CZASOWNIKOWE

to become thick - gęstnieć
to charakterize – cechować
to enlarge - zwiększać
to lessen – maleć
to light up - rozjaśnić
to mark – znaczyć
to measure – mierzyć
to narrow - zwężać
to round – zaokrąglić
to shrink – kurczyć się
to stretch - rozciągać
to thicken - pogrubić
to weigh – ważyć
to widen - rozszerzać

SHOPS AND SHOPPING
SKLEPY I ZAKUPY

RZECZOWNIKI

antique shop	sklep z antykami
art shop	sklep z dziełami sztuki
baker`s	piekarnia
bargain	okazja
bargain counter	dział wyprzedaży
bookshop	księgarnia
bookstore *US*	księgarnia
boutique	butik
butcher`s	sklep mięsny
camera shop	sklep fotograficzny
cash and carry *UK*	hurtownia
cash register	kasa sklepowa
cashier	kasjer
catalogue	katalog
chemist`s	apteka
clothes shop	sklep odzieżowy
confectioner`s	cukiernia
counter	lada
customer	klient
dairy	mleczarnia
delicatessen	delikatesy
department store	dom towarowy
discount	zniżka
display	wystawa
drugstore *US*	apteka
dummy	manekin
electrical goods shop	sklep elektryczny
fishmonger`s	sklep rybny
florist`s	kwiaciarnia
furniture store	sklep meblowy
furrier`s	sklep z futrami
greengrocer`s	sklep warzywny

grocer`s	sklep spożywczy
jeweller`s	jubiler
kiosk *US*	kiosk
liquor store *US*	sklep monopolowy
mall *US*	centrum handlowe
newsagent`s	kiosk
off-licence	sklep monopolowy
on sale	na sprzedaż
optician`s	optyk
perfumery shop	perfumeria
pet shop	sklep zoologiczny
pharmacy	apteka
photographic equipment	sklep ze sprzętem fotograficznym
price	cena
price tag	metka
price-list	cennik
purchase	zakup
queue	kolejka
receipt	paragon
record shop	sklep z płytami
sale	wyprzedaż
second-hand shop	komis
self-service shop	sklep samoobsługowy
shelf	półka
shoe shop	sklep obuwniczy
shop	sklep
shop assistant	sprzedawca
shop in the open air	sklep na powietrzu
shop window	okno wystawowe
shopper	osoba robiąca zakupy
shopping	zakupy
shopping basket	koszyk sklepowy
shopping centre	centrum handlowe
shopping trolley	wózek sklepowy
souvenir shop	sklep z upominkami
sports shop	sklep sportowy
stall	stragan
stationer`s	sklep papierniczy
store *US*	sklep

supermarket	supermarket
sweetshop	sklep ze słodyczami
toy shop	sklep z zabawkami
under guarantee	na gwarancji
wholefood shop	sklep ze zdrową żywnością

WYRAŻENIA PRZYMIOTNIKOWE

bustling store	zatłoczony sklep
cheap	tani
dazzling display	olśniewająca wystawa
expensive	drogi
eyecatching display	wystawa przyciągająca oko
fresh producte	świeży produkt
frozen product	mrożonka
reasonable price	rozsądna cena
reduced price	obniżona cena
rigth size	odpowiedni rozmiar
seductive	pełen pokus
steep price	wysoka cena
too large	za duże
too small	za małe
too tight	za ciasne
too wide	za szerokie

WYRAŻENIA CZASOWNIKOWE

Can I help you ? – Czym mogę służyć ?
Can I try it on ? – Czy mogę to przymierzyć ?
Could somebody serve me, please ? – Czy ktoś mógłby mnie obsłużyć ?
to bargain over the price – targować się o cenę
to be on display – być na wystawie
to be on stock – być na składzie
to be out of stock – zabraknąć towaru
to buy a pig in a poke – kupić kota w worku

to buy goods at the sales – kupować rzeczy na wyprzedaży
to do the shopping – robić zakupy
to exchange sth – wymieniać coś
to go bargain hunting – szukać okazji cenowych
to go shopping – iść na zakupy
to go up – podrożeć
to go window-shopping – oglądać wystawy sklepowe
to have full wallet – mieć pełny portfel
to have sophisticated taste – mieć dziwny gust
to match – dopasować
to order – zamówić
to pay by cheque – płacić czekiem
to pay by instalments – płacić w ratach
to pay cash – płacić gotówką
to purchase - kupować
to queue – stać w kolejce
to return sth – oddać coś
to seduce – kusić
to shop around – chodzić po sklepach
to shop with – być stałym klientem
to supply – zaopatrywać
to try sth on – przymierzać coś
to wrap sth up – zapakować coś

SOCIAL PROBLEMS
PROBLEMY SOCJALNE

RZECZOWNIKI

addiction	nałóg
alcohol abuse	nadużywanie alkoholu
alcohol addict	nałogowy alkoholik
alcoholic	alkoholik
alcoholism	alkoholizm
anti-alcohol centre	centrum antyalkoholowe
autism	autyzm
blindness	ślepota
cerebral palsy	porażenie mózgu
ceremony	uroczystość
cripple	kaleka
cure	lekarstwo
deafness	głuchota
drinking bout	libacja
drug addiction	uzależnienie od narkotyków
drunkard	nałogowy pijak
drunk-driving	jazda po pijanemu
economic changes	zmiany gospodarcze
employment	zatrudnienie
employment agency	biuro zatrudnienia
epilepsy	padaczka
full-time worker	pracownik na pełnym etacie
handicap	upośledzenie
heavy drinker	pijak
impairment	uszkodzenie
income support	zasiłek socjalny
invalid	inwalida
invalid car	samochód inwalidzki
liquor question	zagadnienie alkoholizmu
liquor trade	handel napojami alkoholowymi
member of society	członek społeczeństwa

mental disorders	zaburzenia umysłowe
unemployment rate	stopa bezrobocia
mercy	litość
occupation	zawód, zajęcie
on the dole	na zasiłku
physical deformity	kalectwo
physical dependency upon sth	fizyczne uzależnienie od czegoś
professional association	stowarzyszenie zawodowe
professional training	przeszkolenie zawodowe
ramp	podjazd dla wózków inwalidzkich
self-help group	grupa samopomocy
social custom	obyczaj towarzyski
social drinking	picie towarzyskie
social movement	ruch społeczny
social worker	pracownik socjalny
strong drinks	trunki
support	wsparcie
trade union	związek zawodowy
treatmant	leczenie
unemployment	bezrobocie
unemployment benefit	zasiłek dla bezrobotnych
unskilled job	praca nie wymagająca kwalifikacji
unskilled worker	pracownik niewykwalifikowany
wheel chair	wózek inwalidzki
vocational guidance	poradnictwo zawodowe
weakness	słabość
workshop	warsztat

WYRAŻENIA PRZYMIOTNIKOWE

biological urges	potrzeby biologiczne
blind	niewidomy
crippled	kaleki
deaf	głuchy

deaf mute	głuchoniemy
disabled people	niepełnosprawni ludzie
disastrous	katastrofalny
drunk driver	pijany kierowca
dumb	niemy
fit	sprawny
mentally handicapped	upośledzony umysłowo
physically handicapped	upośledzony fizycznie
relevant qualifications	stosowne kwalifikacje
sober	trzeźwy
social assistance	pomoc socjalna
strong liquor	mocny trunek
suitable occupation	odpowiednie zajęcie
the handicapped	upośledzeni
the unemployed	bezrobotni
tipsy	podchmielony

WYRAŻENIA CZASOWNIKOWE

to apply for a job – ubiegać się o pracę
to be dismissed – zostać zwolnionym
to be in employment – mieć zatrudnienie
to be inclined to addiction – być podatnym na nałogi
to be made redundant – zostać zwolnionym
to be rejected by society – być odrzuconym przez społeczeństwo
to be sacked/fired – zostać wyrzuconym z pracy
to be under the influence of alcohol – być pod wpływem alkoholu
to be unemployed – być bezrobotnym
to become paralysed – zostać sparaliżowanym
to combat alcoholism – zwalczyć alkoholizm
to feel redundant – czuć się zbytecznym
to get notice – dostać wypowiedzenie
to give up drinking - rzucić picie
to have a drink – wypić coś
to have a fug – zapalić sobie
to hide one`s addiction – ukryć nałóg
to kick off the habit – wyjść z nałogu**

to light up – zapalić
to live on sth – żyć z czegoś
to lose one`s job – stracić pracę
to meet with an accident – ulec wypadkowi
to quit the habit – wyjść z nałogu
to requalify – przekwalifikować się
to retrain – przeszkolić się
to take to drink – rozpić się
to walk on crutches – chodzić o kulach

SPORT
SPORT

RZECZOWNIKI

aerobics	aerobik
alpinism	alpinizm
amateur	amator
amateur sports	sporty amatorskie
archery	łucznictwo
backstroke	styl grzbietowy
badminton	badminton
basketball	koszykówka
boxer	bokser
boxing	boks
breaststroke	styl klasyczny
butterfly	styl motylkowy
canoeing	kajakarstwo
car racing	wyścigi samochodowe
chainging room	szatnia
champion	mistrz
championship	mistrzostwa
competition	zawody
corner	rzut rożny
court	kort tenisowy
cricket	krykiet
cycling	kolarstwo
defender	obrońca
discus throwing	rzut dyskiem
diving	nurkowanie
event	konkurencja sportowa
false start	falstart
fencing	szermierka
field hockey	hokej na trawie
finish	meta
first place	pierwsze miejsce
first seed	zawodnik z nr 1.

fitness	sprawność fizyczna
floodlights	jupitery
football / soccer	piłka nożna
foul	faul
free kick	rzut wolny
gliding	szybownictwo
goalkeeper	bramkarz
gymnastic	gimnastyka
handball	piłka ręczna
high jump	skok wzwyż
horse racing	wyścigi konne
hurdles	bieg przez płotki
ice-hockey	hokej na lodzie
javelin throwing	rzut oszczepem
jogger	biegacz
jogging	bieganie
jogging suit	strój do biegania
judge	sędzia
judo	dżudo
karate	karate
kick	strzał, kopnięcie
league	liga
light athletics	lekka atletyka
long distance running	biegi długodystansowe
long jump	skok w dal
marathon	maraton
match	mecz
medallist	medalista
member of a sports club	członek klubu sportowego
net	siatka
Olympic Games	Igrzyska Olimpijskie
opponent	przeciwnik
penalty	rzut karny
physical education	wychowanie fizyczne
ping-pong	ping-pong
pitch	boisko (piłkarskie)
pole vault	skok o tyczce
professional	zawodowiec
professional sports	sporty profesjonalne
puck	krążek hokejowy

referee	sędzia gier zespołowych
relay	sztafeta
result	wynik
rink	lodowisko
rival	rywal
rowing	wioślarstwo
run	bieg
runner	biegacz
sailing	żeglarstwo
score	wynik
short distance running	biegi krótkodystansowe
shot put	pchnięcie kulą
skating	łyżwiarstwo
ski lift	wyciąg narciarski
skiing	narciarstwo
spectator	widz
sport activities	zajęcia sportowe
sporting man	miłośnik sportów
sportsman	sportowiec
stadium	stadion
stand	trybuna
start	start
striker	napastnik
success	sukces
summer sports	sporty letnie
surfing	pływanie na desce, serfing
swimming	pływanie
swimming pool	basen
team	drużyna
team member	gracz
tennis	tenis
the crawl	kraul
the hammer	rzut młotem
the triple jump	trójskok
viewer	telewidz
volleyball	siatkówka
water sports	sporty wodne
water-skiing	narty wodne
weightlifting	podnoszenie ciężarów
winner	zwycięzca

winnter sports   sporty zimowe
wrestling   zapasy
yachting   żeglarstwo

WYRAŻENIA PRZYMIOTNIKOWE I PRZYSŁÓWKOWE

active participation	aktywny udział
bronze medal	brązowy medal
fast	szybki
favourite sports	ulubione sporty
first – division	pierwszoligowy
gold medal	złoty medal
great popularity	wielka popularność
invincible	niezwyciężony
psychological benefit	korzyść psychiczna
silver medal	srebrny medal
sporting way of life	sportowy styl życia
sprawiedliwy	fair
strong	silny
unfair	niesprawiedliwy
well – being	dobre samopoczucie
well – prepared	dobrze przygotowany

WYRAŻENIA CZASOWNIKOWE

to be fond of sports – lubić sport
to attack – atakować
to be in good condition – być w dobrej kondycji
to break a record – pobić rekord
to defend – bronić
to do physical exercises – wykonywać ćwiczenia fizyczne
to keep fit and healthy – utrzymać sprawność i zdrowie
to lose – przegrać
to make an effort – czynić wysiłek

to play – grać
to practise sports – uprawiać sporty
to relieve stresses – łagodzic stresy
to run – biegać
to take part – brać udział
to train – trenować
to watch sport on TV – oglądać sport w telewizji
to win – wygrać

STUDIES AND STUDENTS LIFE
STUDIA I ŻYCIE STUDENCKIE

RZECZOWNIKI

A level	egzamin maturalny
academic year	rok akademicki
academy	akademia, uczelnia
Academy of Fine Arts	Akademia Sztuk Pięknych
ambition	ambicja
arts, the humanities	nauki humanistyczne
assistant	asystent
boarder	mieszkaniec internatu,
akademika	
bookcase	biblioteczka
campus	miasteczko studenckie
classes	ćwiczenia na uczelni
competition	współzawodnictwo
composition	kompozycja, wypracowanie
credit	zaliczenie ćwiczeń
dean	dziekan
deanery	dziekanat
degree	stopień
diploma	dyplom
docorate	doktorat
dormitory	akademik
drop-out	student, który przerwał studia
education	edukacja
educationist	pedagog
entrance examination	egzamin wstępny
essay	esej
exact sciences	nauki ścisłe
examination, exam	egzamin
examiner	egzaminator
explorer	badacz
extramural studies	studia zaoczne
facultet	fakultet

final exam	egzamin końcowy
finals	egzaminy końcowe
foreign language course	lektorat
fresher	student pierwszego roku
grade	stopień
graduate	absolwent
hearer	słuchacz
higher education	wyższe wykształcenie
homework	praca domowa
hostel, academic	akademik
index	indeks
instructor	lektor języka obcego
intellect	intelekt, rozum
laboratory, lab	laboratorium
lecture	wykład
lecture hall	sala wykładowa
lecturer	wykładowca
lexicon	leksykon
librarian	bibliotekarz
library	biblioteka
MA – Master of Arts / Science	magister
Master's degree	stopień magisterski
medical school	akademia medyczna
playtime	czas na zabawę
polytechnic, poly	politechnika
professor	profesor
professorship	profesura
profile	profil
reader	czytelnik
reading	lektura
reading room	czytelnia
rector	rektor
reference library	biblioteka podręczna
report	referat
research work	praca badawcza
scholarship	stypendium
science	nauka
scientist	naukowiec
senior	student ostatniego roku
session	sesja

specialisation	specjalizacja
stationary studies	studia dzienne
stress	stres
student	student, studentka
students club	klub studencki
studying	studiowanie
technical sciences	nauki techniczne
term	semestr
thesis	rozprawa naukowa
tuition	nauka, lekcje
tutor	prywatny nauczyciel
university	uniwersytet
university degree	stopień uniwersytecki
viva	egzamin ustny
written exam	egzamin pisemny
year of the studies	rok studiów

WYRAŻENIA PRZYMIOTNIKOWE I PRZYSŁÓWKOWE

absent-minded	roztargniony
academic	akademicki, teoretyczny
borring	nudny
certificated	dyplomowany
clever	zdolny, zręczny, sprytny
easy	łatwy
educated	wykształcony
educational	edukacyjny, pouczający
failed	oblany, niezaliczony
interesting	interesujący
oral	ustny
passed	zdany, zaliczony
prepared	przygotowany
scientific	naukowy
scientifically	naukowo

sleepy	śpiący
stressful	stresujący
talented	utalentowany
tired	zmęczony

WYRAŻENIA CZASOWNIKOWE

I want to go to university. – Chcę iść na uniwersytet.
to educate – kształcić
to examine – egzaminować
to fail an exam – oblać egzamin
to graduate – ukończyć uniwersytet, uzyskać stopień naukowy
to have a degree – mieć stopień naukowy
to have an exam – mieć egzamin
to learn – uczyć się
to learn by heart – uczyć się na pamięć
to lecture – wykładać
to make notes – robić notatki
to pass an exam – zdać egzamin
to study at university – studiować na uniwersytecie
to teach – uczyć, nauczać
to understand – rozumieć

SUPERNATURAL WORLD
ŚWIAT NADPRZYRODZONY

RZECZOWNIKI

alien	obcy
apparition	duch, widmo, zjawa
Aquarius	Wodnik
Aries	Baran
astrologer	astrolog
astrology	astrologia
basilisk	bazyliszek
belief	wiara
black magic	czarna magia
bogyman	straszydło
Cancer	Rak
Capricorn	Koziorożec
cauldron	kociołek
cemetery, graveyard	cmentarz
chest	skrzynia
cosmos	kosmos
crystal ball	kryształowa kula
curse	klątwa, przekleństwo
demon	demon
devil	diabeł
disbelief	niewiara
dowser	różdżkarz
dowsing	różdżkarstwo
dragon	smok
dwarf	karzeł, krasnoludek
elf	elf
enchantress, sorceress	czarodziejka
evil spirit	zły duch
exorcism	egzorcyzm
eyesore	szkarada
fairy	wróżka (baśniowa)
fairy tale	baśń

fairyland	kraina baśni
fortune-teller	wróżka
fortune-telling	wróżenie
Gemini	Bliźnięta
ghost, spirit	duch
ghost, spook	upiór
gnome	gnom
goblin, hobgoblin, pixie	chochlik
good spirit	dobry duch
hag	jędza
healer	uzdrowiciel
horoscope	horoskop
imp	diabełek
Leo	Lew
Libra	Waga
magic	magia
magic formula	formuła magiczna
magic spell	zaklęcie magiczne
magician, sorcerer, wizard, enchanter	magik
mermaid	syrena
miracle, wonder	cud
monster	potwór, monstrum
mystery	tajemnica
nightmare	koszmar
nymph	nimfa
occult	okultyzm
omen	znak, omen
phantom, phantasm	zjawa
Pisces	Ryby
possess, obsess	opętanie
power	moc
prediction	wróżba
premonition	przeczucie
prophecy	przepowiednia, proroctwo
Sagittarius	Strzelec
sceptic	sceptyk
Scorpio	Skorpion
seance	seans
sign	znak

sorcery, witchcraft, wizardry	czary
soul	dusza
spectre	widmo, zjawa
spell, charm	zaklęcie
superstition	zabobon
talisman	talizman
Taurus	Byk
telephaty	telepatia
the Holy Spirit	Duch Święty
UFO – unidentified flying object	niezidentyfikowany obiekt latający
unicorn	jednorożec
vampire	wampir
Virgo	Panna
vision	wizja, widzenie
voodoo	voodoo
wand	magiczna różdżka
warewolf	wilkołak
water nymph	rusałka
whitchcraft	czary
witch	czarownica
witch-hunt	polowanie na czarownice
wonder-worker	cudotwórca
zodiak	zodiak

WYRAŻENIA PRZYMIOTNIKOWE I PRZYSŁÓWKOWE

astral	gwiezdny
astrological	astrologiczny
bad	zły
cosmic	kosmiczny
cowardly, fearful	strachliwy
demonic	demoniczny
devilish, diabolical	diabelski
fairy	baśniowy
fortunately, luckily	szczęśliwie, pomyślnie
ghostly, spooky	upiorny

good	dobry
haunted (house)	nawiedzony (dom)
horrible, terrible	straszny
incredible	niewiarygodny
invisible	niewidzialny
magic, magical	magiczny, czarodziejski
magically	magicznie
marvelous	cudowny
miraculously, wonderfully	cudownie
nightmarish	koszmarny
possessed	opętany
psychic	psychiczny
reliable, credibly	wiarygodny
scary, spooky	straszny
sceptical	sceptyczny
spectral	widmowy
strange, odd, weird	dziwny
superstitious	zabobonny
unusual	niecodzienny

WYRAŻENIA CZASOWNIKOWE

Do you believe in magic? – Wierzysz w czary?
to have lucky – mieć szczęście
to be possessed – być opętanym
to bewitch – czarować
to enchant – zaczarować
to exorcise – egzorcyzmować, odprawiać egzorcyzmy
to foretell, to tell fortunes – wróżyć
to haunt – nawiedzać, prześladować
to prophesy – przepowiadać
to put (cast) a spell on – rzucić zaklęcie
to terrify, to scare – straszyć
to work wonders – dokonywać cudów

TECHNOLOGY AND MACHINES
TECHNOLOGIA I MASZYNY

RZECZOWNIKI

adapter	adapter
aerial	antena
air conditioning	wentylacja
amp	amper
amplifier	wzmacniacz
appliance	przyrząd
battery	bateria
biologist	biolog
blackout	przerwa w dostawie prądu
bug	podsłuch
bulb	żarówka
button	przycisk
cable	kabel
camcorder	kamera wideo
camera	aparat
cassette	kaseta
cassette player	magnetofon
CD player	odtwarzacz płyt kompaktowych
chemist	chemik
circuit	obwód
clutch	sprzęgło
computer	komputer
computer sciencist	informatyk
cord	sznur
corkscrew	korkociąg
crane	dźwig
current	prąd
dishwasher	zmywarka
diskette	dyskietka
do-it-yourself shop	sklep dla majsterkowiczów
electrician	elektryk

electricity	elektryczność
electric shock	porażenie prądem
electrocode	elekrtokoda
electrocution	porażenie prądem
electronics	elekrtonika
engine	silnik
engineer	inżynier
engineering	inżynieria
experiment	eksperyment
fax	fax
file	pilnik
fuse	bezpiecznik
generator	prądnica
hammer	młot
keyboard	klawiatura
laboratory	laboratorium
lead	przewód elektryczny
machinery	mechanizm
main	główny przewód elektryczny
mechanic	mechanik
microwave	mikrofalówka
molecule	cząsteczka
needle	iglica
photocopier	kserokopiarka
physicist	fizyk
pin	pineska
plug	wtyczka
power	moc
power cut	przerwa w dostawie prądu
power station	elektrownia
radar	radar
razor	brzytwa
remote control	zdalne sterowanie
saw	piła
science	nauka
scientist	naukowiec
scissors	nożyce
screwdriver	śrubokręt
shock	porażenie prądem
spade	łopata

spark	iskra
switch	włącznik
tools	narzędzia
TV satetite dish	antena satelitarna
typewriter	maszyna do pisania
washing mahine	pralka
welder	spawacz
wire	drut
wiring	instalacja elektryczna

WYRAŻENIA PRZYMIOTNIKOWE

answerphone	automatyczna sekretarka
artificial intelligence	sztuczna inteligencja
automatic	automatyczny
blunt knife	tępy nóż
broken	zepsuty
cellurar phone	telefon komórkowy
compact disc	dysk kompaktowy
cordless	bezprzewodowy
down	zepsuty
electric	elektryczny
electric drill	wiertarka elektryczna
electric knife	nóż elektryczny
electronic	elektroniczny
electronic mail	komputerowa poczta elektroniczna
hydroelectric	hydroelektryczny
live	pod napięciem
powered	zasilany
practical purpose	praktyczny cel
specialised knowledge	wyspecjalizowana wiedza
technological	technologiczny

WYRAŻENIA CZASOWNIKOWE

to amplify - wzmacniać
to automate – automatyzować
to be out of order – być nieczynnym
to beam – transmitować
to blow – przepalać się
to break down – zepsuć się
to charge – ładować
to computerize - komputeryzować
to cut sth – ciąć coś
to electrify - elektryfikować
to electrocute – razić śmiertelnie prądem
to fix sth – reperować coś
to fuse – przepalać się
to generate - wytwarzać
to install – instalować
to invent sth – wynaleźć coś
to lead – przewodzić
to make the edges smooth – wygładzić brzegi
to open a bottle – otworzyć butelkę
to plug – wkładać wtyczkę do kontaktu
to press a button – nacisnąć guzik
to read the instuction – przeczytać instrukcję
to repair sth – naprawiać coś
to sharpen sth – naostrzyć coś
to studty engeneering – kształcić się na inżyniera
to unplug – wyjmować wtyczkę z kontaktu
to wire – zakładać przewody elektryczne

THE PRESS, RADIO, TV
PRASA, RADIO, TELEWIZJA

RZECZOWNIKI

advertisement	reklama
announcer	prezenter
article	artykuł
audition	audycja
bias	stronniczość
black and white film	film czarno–biały
broadcast	audycja radiowa
cartoons	filmy animowane
censorship	cenzura
circulation	nakład
column	dział gazety
comedies	komedie
commercial	reklama
copy of „Newsweek"	numer „Newsweeka"
correspondent	korespondent
coverage	sprawozdanie
current affairs programmes	programy o sprawach bieżących
daily	dziennik
discussion	dyskusja
documentaries	programy dokumentalne
edition	wydanie
editor	redaktor
editorial	artykuł wstępny
entertainment	rozrywka
evening press	prasa wieczorna
film	film
the freedom of the press	wolność prasy
game shows	teleturniej
headline	nagłówek
horror films	horrory
interview	wywiad

invasion of one's privacy	naruszenie prywatności
journalist	dziennikarz
knowledge about the world	wiedza o świecie
libel	paszkwil
local newspaper	gazeta lokalna
magazine	czasopismo
misinformation	fałszywe informacje
monthly	miesięcznik
movie	film
morning press	prasa poranna
music programmes	programy muzyczne
nature programmes	programy przyrodnicze
the news	wiadomości
news agency	agencja prasowa
newsagent	kioskarz
newspaper	gazeta
page	strona
presenter	prezenter
the press	prasa
programme	program
public ridicule	publiczne ośmieszenie
publisher	wydawca
publishing house	wydawnictwo
quarterly	kwartalnik
radio	radio
reader	czytelnik
reporter	reporter
returns from advertising	wpływy z reklamy
romantic comedy	komedia romantyczne
show	widowisko
soap operas	opera mydlana
serial	serial
source of information	źródło informacji
spokesman	rzecznik prasowy
sports programme	program sportowy
tabloid	brukowiec
television	telewizja
television set	telewizor
thriller	film sensacyjny
TV announcer	spiker telewizyjny

TV program schedule telewizyjnego	rozkład programy
TV set	odbiornik telewizyjny
viewer	telewidz
weather forecast	prognoza pogody
weekly	tygodnik

WYRAŻENIA PRZYMIOTNIKOWE

advertising slogan	hasło reklamowe
boring	nudny
blue film	film erotyczny
cable TV	telewizja kablowa
children`s magazine	czasopismo dla dzieci
crime series	programy kryminalne
dubbed film	film z dabingiem
educational	edukacyjny
educational possibilities	możliwości edukacyjne
educational programmes	programy edukacyjne
favourite progremme	ulubiony program
feature fillms	filmy obyczajowe
foreign correspondent	korespondent zagraniczny
historical film	film historyczny
interesting	interesujący
latest issue of ...	najnowsze wydanie ...
light	rozrywkowy
major source	główne źródło
nature film	film przyrodniczy
negative impact	negatywny wpływ
passive enjoyment	bierna rozrywka
political event	wydarzenie polityczne
popular	popularny
printed word	drukowane słowo
professional	profesjonalny
war film	film wojenny
topical	aktualny
trashy commercials	tandetne reklamy

WYRAŻENIA CZASOWNIKOWE

to announce – zapowiedzieć
to be financed – być finansowanym
to be influenced by – być pod wpływem czegoś
to be well informed – być dobrze poinformowanym
to broaden the mind – rozszerzać horyzonty
to cover – relacjonować
to cover events – relacjonować wydarzenia
to flip through the channels – szybko zmieniać kanały
to have eyes glued to the TV – wlepiać oczy w TV
to keep up-to-date – być na czasie
to print - drukować
to provide entertainment – dostarczać rozrywki
to publish - publikować
to read newspaper – czytać gazetę
to select the information – wybierać informacje
to spread the news – rozpowszechnić wiadomości
to subscribe - prenumerować
to switch on - przełączać
to turn off - wyłączyć
to turn on - włączyć
to turn on the set – włączać odbiornik
to waste one`s time – marnować czyjś czas
to watch television – oglądać telewizję

TEATR
THEATRE

RZECZOWNIKI

act	akt
actor	aktor
actress	aktorka
applause (clapping)	oklaski
audience	publiczność
auditorium	widownia
backdrop	kotara dekoracyjna
background	tło, otoczenie
backing	podkład muzyczny
balcony (circle)	balkon
ballet	balet
box	loża
cast	obsada
cloak-room	szatnia
coat number	numerek w szatni
comedy	komedia
contemporary play	sztuka współczesna
costume	kostium
crowd scene	scena zbiorowa
culture	kultura
curtain	kurtyna
director	reżyser
drama	dramat
dress rehearsal	próba generalna
first (opening) night	premiera
flop	niewypał sceniczny
foyer	hol teatralny, foyer
gesture	gest
illumination, lighting	oświetlenie
intermission, interval	przerwa, antrakt
interview	wywiad
lover, fan	miłośnik

mask	maska
mime	mim
mimics	mimika
monologue	monolog
open-air theatre	teatr na świeżym powietrzu
opera-glasses	lornetka
ovation	owacje
pantomime	pantomima
part	rola
performance	występ, przedstawienie
pit	parter (w teatrze)
play	sztuka
premiere, first night	premiera
preview	pokaz przedpremierowy
prompter	sufler
property (prop)	rekwizyt
puppet theatre	teatr lalki
reception	odbiór
rehearsal	próba
row	rząd
scenography	scenografia
seats	miejsca
stage	scena
stage fright	trema
staging	inscenizacja
stall	miejsce na parterze
standing ovation	owacje na stojąco
the artistic director of the theatre	dyrektor artystyczny teatru
theatre cafe	kawiarnia teatralna
theatre critic	krytyka teatralna
theatre-goer	miłośnik teatru
ticket	bilet
usherette	bileterka
wardrobe	garderoba
wig	peruka

WYRAŻENIA PRZYMIOTNIKOWE I PRZYSŁÓWKOWE

based on	oparty na
boring	nudny
brilliant	znakomity
famous	słynny
full house	pełna widownia
great succes	wielki sukces
interesting	interesujący
silent part	niema rola
sold out	wyprzedany
talented	utalentowany
theatrical	teatralnie
well-cast	dobrze obsadzony

WYRAŻENIA CZASOWNIKOWE

I'm interested in theatre. – Interesuję się teatrem.
the curtain came down – kurtyna opadła
the curtain goes up – kurtyna idzie w górę
to act – grać rolę
to applaud – bić brawo
to be applauded – być oklaskiwanym
to boo – wygwizdać
to book the seat – zarezerwować miejsce
to collect the coats – odebrać płaszcze
to go to the theatre – iść do teatru
to stage a play – wystawić sztukę
to star – wystąpić w głównej roli

TIME
CZAS

RZECZOWNIKI

academic year	rok akademicki
after hours	po godzinach
all the year round	cały rok
ancient times	czasy starożytne
April	kwiecień
at present	teraz
at the monent	w tym momencie
August	sierpień
autumn	jesień
calendar year	rok kalendarzowy
century	wiek
curfew	godzina policyjna
dawn	świt
day	dzień
decade	dekada
December	grudzień
dusk	zmierzch
February	luty
fortnight *UK*	dwa tygodnie
Friday	piątek
half a year	pół roku
half an houe	pół godziny
hour	godzina
instant	chwila
January	styczeń
July	lipiec
June	czerwiec
last year	w zeszłym roku
leap year	rok przestępny
lesson	godzina lekcyjna
lunchtime	pora obiadowa
March	marzec

May	maj
Middle Ages	średniowiecze
midnight	północ
minute	minuta
modern times	czasy współczesne
moment	moment
Monday	poniedziałek
month	miesiąc
New Year	Nowy Rok
night	noc
nightfall	zmrok
noon	południe
November	listopad
nowadays	obecnie
October	październik
office hours	godziny urzędowania
opening hours	godziny otwarcia
prehistoric times	czasy prehistoryczne
quarter	kwadrans
rush hours	godziny szczytu
Saturday	sobota
school year	rok szkolny
second	sekunda
semester	semestr
September	wrzesień
spring	wiosna
summer	lato
Sunday	niedziela
sunrise	wschód słońca
sunset	zachód słońca
supper time	pora kolacji
tea time	pora podwieczorku
the afternoon	popołudnie
the beginning of January	początek stycznia
the day after tomorrow	pojutrze
the end of January	koniec stycznia
the evening	wieczór
the middle of January	połowa stycznia
the morning	poranek
Thursday	czwartek

time of the day	pora dnia
today	dzisiaj
tomorrow	jutro
Tuesday	wtorek
visiting hours	godziny odwiedzin
Wednesday	środa
week	tydzień
week days	dni powszednie
winter	zima
working days	dni robocze
working hours	godziny pracy
yesterday	wczoraj
zero hour	godzina zero

WYRAŻENIA PRZYMIOTNIKOWE I PRZYSŁÓWKOWE

all the time	przez cały czas
every hour	co godzinę
every two hours	co dwie godziny
frequently	często
happy days	szczęśliwe czasy
hard times	trudne czasy
in a short while	za krótką chwilę
in the distant future	w odległej przyszłości
in the near future	w bliskiej przyszłości
last year	w ubiegłym roku
lately	ostatnio
often	często
once an hour	raz na godzinę
rarely	rzadko
recently	ostatnio
seldom	rzadko
time after time	raz za razem
year ago	rok temu

WYRAŻENIA CZASOWNIKOWE

Time is money. – Czas to pieniądz.
to be pressed for time – mieć mało czasu
to be up to date – być na czasie
to gain time – zyskać na czasie
to have no time – nie mieć czasu
to kill time – zabijać czas
to lose count of time – stracić rachubę czasu
to value time – cenić czas
to waste time – marnować czas
What date is today? – Którego dzisiaj many?
What is the time? – Która jest godzina?

TOILETRIES AND COSMETICS
PRZYBORY TOALETOWE
I KOSMETYKI

RZECZOWNIKI

acne	trądzik
aftershaving lotion	płyn po goleniu
allergy	alergia
anti-dandruff shampoo	szampon przeciw łupieżowi
antiperspirant	antyperspirant
anti-wrinkle cream	krem przeciw zmarszczkom
bath salts	sól do kąpieli
beautician	kosmetyczka
beauty salon	salon piękności
blusher	róż do policzków
brilliantine	brylantyna
comb	grzebień
compact	puderniczka
concealer pencil	korektor
conditioner	odżywka do włosów
cotton balls	waciki do demakijażu
cotton pads	waciki
curler	lokówka
curling brush	szczotka do układania włosów
cutcle nippers	cążki do skórek
day cream	krem na dzień
deodorant	dezodorant
deodorant spray	dezodorant w sprayu
deodorant stick	dezodorant w sztyfcie
depilator	depilator
electric razor	elektryczna maszynka do golenia
essence	ekstrakt
essential oil	olejek pachnący
exfoliating scrub	peeling

eye cream	krem pod oczy
eyebrow pencil	ołówek do brwi
eyeliner	kredka do oczu
eyeshadow	cień do powiek
face cream	krem do twarzy
face lift	lifting
face pack	maseczka
facial wash	żel do mycia twarzy
fan brush	pędzelek
fluid	fluid
foam bath	płyn do kąpieli
frequent-wash shampoo	szampon do częstego mycia
foundation	podkład
hair dryer	suszarka do włosów
hair dye	farba do włosów
hair slide	spinka do włosów
hair spray	lakier do włosów
hairbrush	szczotka do włosów
hand cream	krem do rąk
lather	piana
lipliner	konturówka
lipstick	pomadka do ust
liquid foundation	podkład
loose powder	puder
lotion	balsam
make-up remover	płyn do demakijażu
manicure	manikiur
mascara	tusz do rzęs
massage	masaż
moisturizer	nawilżacz
mousse	pianka
mouthwash	nawilżacz do ust
nail clippers	cążki do paznokci
nail enamel	emalia do paznokci
nail file	pilnik do paznokci
nail polish	lakier do paznokci
nail scissors	nożyczki do paznokci
nail-brush	szczoteczka do paznokci
nail-varnish remover	zmywacz
night cream	krem na noc

perfume	perfumy
perm lotion	płyn do trwałej ondulacji
polish	lakier do paznokci
pressed powder	puder w kamieniu
pumice	pumeks
razor	brzytwa
razor blade	żyletka
rouge	róż
safety razor	maszynka do golenia
salon	salon dla pań
scent	aromat
shampoo	szampon
shaver	elektryczna maszynka do golenia
shaving brush	pędzel do golenia
shaving cream	krem do golenia
shaving foam	pianka do golenia
shower gel	żel do kąpieli
soap	mydło
sponge	gąbka
styling mousse	pianka do włosów
suds	mydliny
suntan	emulsja do opalania
talcum powder	talk
tampons	tampony
tissues	chusteczki higieniczne
toilet bag	kosmetyczka
tonic	tonik
toothbrush	szczoteczka do zębów
toothpaste	pasta do zębów
toothpick	wykałaczka
towel	ręcznik
washcloth	myjka
wax	wosk

WYRAŻENIA PRZYMIOTNIKOWE

cleansing lotion	mleczko kosmetyczne
cologne	woda kolońska
curling iron	lokówka elektryczna
dental floss	nić dentystyczna
moisturizing cream	krem nawilżający
nourishing cream	odżywczy krem
perfumed	perfumowany
powdered	pudrowany
sanitary towels	podpaski higieniczne
scanted	pachnący
shampooing colourant	szampon koloryzujący
soapy	mydlany
toilet paper	papier toaletowy
toilet soap	mydło toaletowe
toilet water	woda toaletowa
tweezers	pęsetka kosmetyczna

WYRAŻENIA CZASOWNIKOWE

to absorb – wchłaniać się
to adorn - ozdabiać
to apply cream – nakładać krem
to brush – szczotkować
to brush teeth – myć włosy
to comb – czesać się
to do hair – układać włosy
to do make-up – robić makijaż
to dry hair – suszyć włosy
to dye hair - farbować włosy
to file nails – piłować sobie paznokcie
to have a manicure – zrobić sobie manikiur
to make oneself up – zrobić sobie makijaż
to moisturize - nawilżać
to perm hair – robić trwałą
to polish - polerować

to put on perfume – uperfumować się
to remove hair – depilować
to rinse mouth – płukać usta
to run a bath – napełniać wannę
to run a comb through hair – przeczesać sobie włosy
to set hair – układać włosy
to shave – golić się
to shower – brać prysznic
to spruce oneself up – ogarnąć się
to sun yourself – opalać się
to sweep back – zaczesać włosy do tyłu
to use hair spray – używać lakieru do włosów
to varnish - lakierować
to wash hair – myć włosy
to wax – depilować woskiem

TOOLS AND MACHINES
NARZĘDZIA I MASZYNY

RZECZOWNIKI

anvil	kowadło
axe	siekiera
blade	łopatka
broom	miotła
chisel	dłuto
clasp-knife	nóż składany
cleaver	nóż rzeźnicki
clippers	maszynka do strzyżenia
combine harvester	kombajn zbożowy
compressor	sprężarka
concrete-mixer	betoniarka
contour line	poziomica
drill	wiertło, wiertarka
edge	ostrze
flick-knife	nóż sprężynowy
grater	tarka
hacksaw	piła do metalu
hammer	młotek
handyman	złota rączka
harpoon	harpun
harrow	brona
hatchet	toporek
hoe	motyka
hook	haczyk
implement	narzędzie
incision	nacięcie
instrument	narzędzie, przyrząd
jigsaw	piła wyrzynarka
kit	sprzęt, zestaw, komplet
knife	nóż
latchkey	klucz do zatrzasku
lathe	tokarka

lawn-mover	kosiarka
mallet	drewniany młotek
miller	frezarka
mincer	maszynka do mięsa
nail	gwóźdź
paintbrush	pędzel
palette-knife, scraper	szpachla
pencil sharpener	temperówka
pestle	tłuczek
pickaxe	kilof
pitchfork	widły
pliers	szczypce
plough	pług
pneumatic drill	młot pneumatyczny
power tool	narzędzie elektryczne
pump	pompka, pompa
rake	grabie
saw	piła
scissors	nożyczki
screw	śruba
scythe	kosa
secaterurs	sekator
sewing-machine	maszyna do szycia
shaver	maszynka do golenia
shears	nożyce
shovel	szufla
shredder	szatkownica
sickle	sierp
skeleton key	klucz uniwersalny
sledge hammer	młot kowalski
snow-plough	pług śnieżny
soldering iron	lutownica
sowing machine	siewnik
spade	łopata
spanner	klucz maszynowy
spatula	szpatułka
screwdriver	śrubokręt
tongs	obcęgi, szczypce
tooth	ząb (np. w pile)
tractor	traktor

trailer	przyczepa
trowel	kielnia
turnery	tokarnia
tweezers	pincetka (pęseta)
typewriter	maszyna do pisania
utensil	sprzęt, naczynie
vice, rolling-pin	imadło
weld	spaw
welder	spawarka
whisk	trzepaczka
wrench	klucz francuski

WYRAŻENIA PRZYMIOTNIKOWE I PRZYSŁÓWKOWE

big, large	duży
blunt	tępe (narzędzie)
electric, electrical	elektryczny
handy	wygodny w użyciu
heavy,weighty	ciężki
iron	żelazny
painted	pomalowany
precise	dokładny
sharp	ostry
strong	mocny, silny
with your bare hands	gołymi rękoma
wooden, timbered	drewniany

WYRAŻENIA CZASOWNIKOWE

to bore – wiercić, przebić
to chop – siekać, rąbać
to chop sth off – odrąbać coś
to cut – ciąć, przecinać
to cut off – odciąć

to dig – kopać
to drill – wiercić
to file – piłować, wygładzać
to hammer – przybijać
to mow – kosić
to operate a machine – obsługiwać maszynę
to plane – strugać
to polish – polerować
to rake – grabić
to saw – ciąć piłą
to screw – przykręcać
to scythe – kosić kosą
to shavel – szuflować
to snip – ciąć, ciachać
to solder – lutować
to stick – przyklejać
to whip – ubijać (np. pianę)

TOWNS
MIASTA

RZECZOWNIKI

aerial	antena
area	dzielnica artystyczna
attic	poddasze
balcony	balkon
bench	ławka
block of flats	blok mieszkaniowy
building	budynek
building works	rusztowania
bungalow	dom parterowy
capital	stolica
car park	parking
cellar	piwnica
central heating	centralne ogrzewanie
centre	centrum
chimney	komin
church	kościół
cinema	kino
city	duże miasto
countryside	okolica
district	dzielnica
door	drzwi.
drive	podjazd
dustbin	pojemnik na śmieci
dustman	śmieciarz
entrance	wejście
factory	fabryka
fence	płot
flat	mieszkanie
floor	piętro
flowerbed	klomb
gallery	galeria
garage	garaż

gate	brama
greenhouse	szklarnia
hedge	żywopłot
home	ognisko domowe
hometown	miasto rodzinne
house	dom (budynek)
housing state	osiedle mieszkaniowe
kerb	krawężnik
lamp-post	latarnia
landing	podwyższenie
landmark	charakterystyczny budynek
lawn	trawnik
letter box	skrzynka na listy
litter	śmieci
mayor	burmistrz
meeting place	miejsce spotkań
meter	licznik
metropolis	metropolia
motorway *UK*	autostrada
museum	muzeum
neibourhood	sąsiedztwo
neighbour	sąsiad
opera	opera
parking place	miejsce do parkowania
pass-by	objazd
path	ścieżka
pavement	chodnik
pedestrian	pieszy
pedestrian precinct	obszar dla pieszych
road	droga
roundabout	rondo
shed	szopa
skyscraper	drapacz chmur
speedway *US*	autostrada
square	skwer
stained glass	witraż
staircase	klatka schodowa
stairs	schody
street	ulica
suburb	przedmieście

terraced house	dom stojący w rzędzie
theatre	teatr
tour guide	przewodnik
traffic	ruch uliczny
way	droga
window	okno
zebra crossing	przejście dla pieszych

WYRAŻENIA PRZYMIOTNIKOWE

busy street	ruchliwa ulica
congested street	zatłoczona ulica
cosmopolitan city	kosmopolityczne miasto
detached house	dom jednorodzinny
double-decker bus	dwupiętrowy autobus
financial distric	dzielnica finansowa
heavy traffic	duży ruch uliczny
historic sities	miejsca historyczne
homeless people	ludzie bezdomni
lively area	dzielnica pełna życia
modern block	nowoczesny blok
modern house	nowoczesny dom
multi-storey building	budynek wielopiętrowy
multi-storey car park	wielopiętrowy parking
ornamental door	drzwi zdobione
pavement cafe	restauracja przyuliczna
phone box	budka telefoniczna
second floor	drugie piętro
semi-detached house	dom dwurodzinny
shopping centre	centrum handlowe
sport centre	centrum sportowe
stone chimney	kamienny komin
urban	miejski
wooden fence	drewniany płot

WYRAŻENIA CZASOWNIKOWE

to be homeless – nie mieć domu
to commute – dojeżdżać do pracy
to pay a rent – płacić czynsz
to rebuild sth – przebudować coś
to rent a flat – wynajmować mieszkanie
to restore a building – odrestaurować budynek
to sightsee - zwiedzać
to sleep in the street – spać na ulicy
to take a walk – iść na spacer
to walk around the street – iść ulicą

TRADITIONAL HOLIDAYS
TRADYCYJNE ŚWIĘTA

RZECZOWNIKI

All Saints` Day	Wszystkich Świętych
Ash Wednesday	Popielec
bank holiday	oficjalne święto państwowe
blessing	błogosławieństwo
candles	świeczki
carols	kolędy
carol-singers	kolędnicy
celebration	świętowanie
chains	łańcuchy
Christmas	Boże Narodzenie
Christmas dinner	obiad świąteczny
Christmas Eve	Wigilia
Christmas greeting cards	świąteczne kartki z życzeniami
Christmas season	okres świąteczny
Christmas tree	choinka
Corpus Christi	Boże Ciało
cross	krzyż
crucifixion	ukrzyżowanie
currants	rodzynki
custom	zwyczaj
declaration of love	wyznanie miłości
dishes	potrawy
Easter	Wielkanoc
Easter Day	Niedziela Wielkanocna
Easter Monday	drugi dzień Świąt Wielkanocy
Epiphany	święto Trzech Króli
fasting	post
Father Christmas	Święty Mikołaj
Father`s Day	dzień ojca
feast	uczta
Good Friday	Wielki Piątek
greetings card	kartka z pozdrowieniami

hay	siano
holiay	święto
Holy Week	Wielki Tydzień
Independence Day	Święto Niepodległości
Lent-post	Wielki Post
mass	msza
Maundy Thursday	Wielki Czwartek
member	członek
members of the congregation	wierni
Merry Christmas	Wesołych Świąt
midnight mass	pasterka
New Year`s Day	Nowy Rok
New Year`s Eve	sylwester
old socks	skarpety na prezenty
Palm Sunday	Niedziela Palmowa
pies with mushrooms	pierogi z grzybami
poppy-seed cake	makowiec
preparations	przygotowania
presents	prezenty
reindeer	renifer
roast turkey	pieczeń z indyka
Santa Claus	Święty Mikołaj
Shrove Tuesday	ostatki
sour cabbage	kiszona kapusta
St Valentine`s Day	dzień św. Walentego
St Andrew`s Day	andrzejki
tablecloth	obrus
Thanksgiving Day	Dzień Dziękczynienia
the deloved	zakochani
the festivities	karnawał
the resurrection	zmartwychwstanie
trinkets	ozdoby na choinkę
Virgin Mary Ascension Day	Wniebowstąpienie NMP
Whit Sunday	Zielone Świątki
worshipper	wierny

WYRAŻENIA PRZYMIOTNIKOWE

annual parties	doroczne przyjęcia
best wishes	najlepsze życzenia
Christian feast	chrześcijańskie święto
Christmas card	kartka świąteczna
Christmas pudding	świąteczny pudding
commercial holiday	święto komercyjne
dried fruit	suszone owoce
dyed eggs	malowane jaja
Easter eggs	wielkanocne jaja
family circle	grono rodzinne
family reunion	zjazd rodzinny
Happy New Year	szczęśliwego Nowego Roku
old tradition	stara tradycja
paper hats	papierowe kapelusiki
red borsch	czerwony barszcz
religious sect	sekta religijna
roast turkey	pieczony indyk
solemn	uroczysty
symbolic gift	symboliczny prezent
the first star	pierwsza gwiazdka
traditional dinner	tradycyjny obiad
unexpected guest	nieoczekiwany gość

WYRAŻENIA CZASOWNIKOWE

dressed as – przebrani za
to arrange a party – wydać przyjęcie
to celebrate – świętować
to deliver an annual oration – wygłosić doroczne przemówienie
to eat one`s fill – najeść się do syta
to hold a fest – urządzić ucztę
to observe a holiday – obchodzić święto

to pay and receive visits – składać wizyty i przyjmować gości
to share the holy wafer – dzielić się opłatkiem
to sprinkle ash – posypywać popiołem
to taste – próbować

TRANSPORTATION BY SEA
TRANSPORT MORSKI

RZECZOWNIKI

anchor	kotwica
anemometer	wiatromierz
ballroom	sala balowa
barge	barka
barometer	barometr
boat	łódź
bow	dziób statku
breakwater	falochron
cafeteria	bar samoobsługowy
canal lock	śluza
canoe	kajak
capitan`s quarters	pomieszczenie mieszkalne kapitana
chapel	kaplica
compass	kompas
crew quarters	pomieszczenia mieszkalne załogi
crossing	przeprawa
cruiser	krążownik
customs house	budynek odpraw celnych
deck	pokład
dining room	jadalnia
dock	dok
ferry	prom
flag	bandera
frigate	fregata
garage	pomieszczenie
general cargo ship	statek do przewozu drobnicy
gondola	gondola
harbour	por
hovercraft	poduszkowiec
icebreaker	lodołamacz

lounge	salonik
mast	maszt
mooring rope	cuma
mother ship	statek baza
nautical mile	mila morska
navy ship	okręt
quarters	pomieszczenia mieszkalne
quay	nadbrzeże
radar	radar
raft	tratwa
restaurant	restauracja
rudder	ster
sailing ship	żaglowiec
ship	statek
ship`s side	burta statku
shop	sklep
stabilizer	stabilizator
stern	rufa
tanker	tankowiec
thermometer	termometr
timber carrier	statek do przewozu drewna
winch	wciągarka

WYRAŻENIA PRZYMIOTNIKOWE

anchor cable	łańcuch kotwiczy
anchor gear	sprzęt kotwiczy
bow rudder	ster dziobowy
bow visor	dziób otwierany
bridge	mostek kapitański
cabin	kabina pasażerska
calm sea	spokojne morze
car deck	pokład samochodowy
car ferry	prom samochodowy
commercial harbour	handlowy port
control deck	pokład sterowania
deluxe suite	luksusowa kabina pasażerska

dinghy	nadmuchiwana łódka ratunkowa
echo sounder	sonda akustyczna
engine room	przedział maszynowy
fin	statecznik kierunkowy
fish cutter	kuter rybacki
fishery port	rybacki port
fishing boat	łódź rybacka
fishing vessel	statek rybacki
flag ship	statek flagowy
flat boat	łódź płaskodenna
harbour basin	basen portowy
harbour station	dworzec morski
home port	krajowy port
life belt	koło ratunkowe
life raft	tratwa ratownicza
lifeboat	łódź ratunkowa
lighthouse	latarnia morska
loading deck	pomost załadowczy
loading berth	nadbrzeże przeładunkowe
mail-boat	statek pocztowy
merchantman	statek handlowy
motorboat	łódź motorowa
naval port	wojenny port
navigating bridge	mostek nawigacyjny
nuclear ship	statek atomowy
quay ramp	rampa nadbrzeżna
passenger cabins	kabiny pasażerskie
passenger liner	statek pasażerski
port of discharge	port wyładunkowy
port of loading	port załadunkowy
powerboat	łódź silnikowa
quayside crane	żuraw nadbrzeżny
research vessel	statek badawczy
river port	rzeczny port
rough sea	wzburzone morze
rowboat	łódź wiosłowa
sailing boat	łódź żaglowa
sea port	morski port
submarine	łódź podwodna

sundeck	pokład słoneczny
swimming pool	basen pływacki
train ferry	prom kolejowy
voyage	podróż morska
warship	okręt wojenny
yacht harbour	jachtowy port

WYRAŻENIA CZASOWNIKOWE

the ship leaves for – statek odpływa do
to arrive – przybywać
to be a passenger – być pasażerem
to book a ticket – zarezerwować bilet
to buy a ticket – kupować bilet
to go on board – wsiadać na statek
to go on voyage – wybierać się w podróż morską
to leave – odpływać
to rescue – ratować
to sail out – odpływać
to sink – zatonąć
to suffer from seasickness – cierpieć na chorobę morską
to weigh anchor – podnosić kotwicę

TRAVELS
PODRÓŻE

RZECZOWNIKI

accomodation	zakwaterowanie
airport	lotnisko
arrival	przybycie
arrival of flight	przybycie lotu
boot	bagażnik
border	granica
buffet	bufet
bus	autobus
by–pass	objazd
cabin	przedział
camp–site	pole namiotowe
car	samochód
car park	parking strzeżony
check in	odprawa na lotnisku
coach	autokar
coach–station	stacja autobusowa
conductor	konduktor
crossing	przeprawa
cruise	przejażdżka statkiem
customs declaration	deklaracja celna
customs office	urząd celny
customs officer	celnik
deck	pokład
departure	odjazd
destination	miejsce przeznaczenia
departure–lounge	hala odjazdów
disembark	schodzić na ląd
district	dzielnica
double room	pokój dwuosobowy
driving licence	prawo jazdy
driving mirror	lusterko samochodowe
expedition	wyprawa naukowa

express train	pociąg ekspresowy
free seats	wolne siedzenia
flight	lot
forthnight *UK*	dwa tygodnie
harbour	port
itinerary	rozkład podróży
landing	lądowanie
left-luggage office	przechowalnia bagażu
left-luggage receipt	kwit bagażowy
limousine	limuzyna
luggage	bagaż
luggage trolleys	wózki bagażowe
map	mapa
package tour	zorganizowana wycieczka
passenger	pasażer
passport	paszport
pilot	pilot
plane	samolot
platform	peron
porter	portier
quay	nadbrzeżne molo
railway station	dworzec kolejowy
request stop	przystanek na żądanie
reservation on the flight	rezerwacja na lot
return ticket	bilet w dwie strony
runway	pas startowy
signpost	drogowskaz
single room	pokój jednoosobowy
single ticket	bilet w jedną stronę
ship	statek
sleeper	wagon sypialny
sleeping bag	śpiwór
stewadress	stewardesa
subway *US*	metro
suitcase	walizka
taxi	taksówka
tent	namiot
through connection to	bezpośrednie połączenie do
through train	pociąg bezpośredni
ticket	bilet

ticket office	kasa biletowa
ticket puncher	kasownik
timetable	rozkład jazdy
toilet	toaleta
tour	wycieczka
tourist	turysta
tourist spot	miejsce często odwiedzane przez turystów
town centre	centrum miasta
train	pociąg
tram	tramwaj
travel	biuro podróży
travel guide	przewodnik
trip	wycieczka
tube *UK*	metro
vacancy	wolny pokój
visa extension	przedłużenie wizy
voyage	podróż morska
waiting room	poczekalnia

WYRAŻENIA PRZYMIOTNIKOWE I PRZYSŁÓWKOWE

the best connetion	najlepsze połączenie
business trip	wyjazd służbowy
by bus	autobusem
by car	samochodem
by plane	samolotem
by train	pociągiem
customs declaraction	deklaracja celna
delayed	opóźniony
direct connection	bezpośrednie połączenie
full board	pełne wyżywienie
guided sight-seeing	zwiedzanie z przewodnikiem
guided tour of Rome	wycieczka z przewodnikiem po Rzymie
heavy suitcases	ciężkie walizki

luxury hotel	hotel luksusowy
planned journey	planowana podróż
private trip	wyjazd prywatny
second class hotel	hotel drugiej klasy
tour organised by a travel	wycieczka zorganizowana
agency	przez biuro podróży
window seat	miejsce przy oknie

WYRAŻENIA CZASOWNIKOWE

Can you tell me the way to ...? – Czy mógłbyś wskazać mi drogę do ...?

Fasten your seat belt. – Zapnij pasy bezpieczeństwa.

How can I get there ? – Czym mogę tam dojechać ?

How long does the journey take ? – Ile godzin trwa podróż ?

Plane has just landed .– Samolot dopiero co wylądował.

price covers everything – cena pokrywa wszystko

something o declare – coś do oclenia

Take the first right. – Skręć w pierwszą prawą.

to arrive – przyjeżdżać

to arrive at the airport – przybć na lotnisko

to be on guided tour – być na wycieczce z przewodnikiem

to book a room / ticket– zarezerwować pokój / bilet

to buy a ticket – kupić bilet

to cancel – odwołać

to catch the train – złapać pociąg

to confirm – potwierdzić

to cross the border – przekroczyć granicę

to delay – opóźniać

to divert – zawracać

to get off the bus – wysiąść z autobusu

to get on the bus – wsiąść do autobusu

to go on a board – wejść na pokład

to go on holiday – jechać na wakacje

to go straight – idź prosto

to go to the mountains – jechać w góry

to hitch–hike – jeździć autostopem

to insure against accidents – ubezpieczyć się od wypadku

to leave - odjeżdżać
to make a reservation – dokonać rezerwacji
to miss the train – spóźnić się na pociąg
to pack a suitcase – spakować walizkę
to pay duty – płacić cło
to plan journey – planować podróż
to put up a tent – rozłożyć namiot
to queue for tickets – stać w kolejce po bilety
to set off - ruszać
to sightsee - zwiedzać
to sleep on the deck – spać na pokładzie
to take off – startować
to take one`s seats – zajmować miejsca
to travel by train – podróżować pociągiem
to travel first class – podróżować pierwszą klasą
to travel half-fare – mieć 50% zniżki
to unpack a suitcase – rozpakować walizkę
What is the best connection ? – Jakie jest najlepsze połączenie ?
What time does the train leave ? – O której odjeżdża pociąg ?
You can`t miss it. – Na pewno trafisz.

VEHICLES AND TRANSPORT
POJAZDY I TRANSPORT

RZECZOWNIKI

aeroplane	aeroplan
ambulance	karetka pogotowia
bicycle	rower
bonnet	maska
bumper	zderzak
cabriolet	kabriolet
canoe	kajak
car	samochód
car alarm	autoalarm
carriage	powóz
chauffeur	szofer
collision	kolizja
commuter	dojeżdżający
conductor	konduktor
cyclist	rowerzysta
deck	pokład
ditch	rów
driving licence	prawo jazdy
dumper truck	śmieciarka
engine	silnik
exhaust	rura wydechowa
ferry	prom
filing station	stacja benzynowa
flight	lot
garage	garaż
handlebars	kierownica rowerowa
headlight	światła przednie
helicopter	helikopter
hot-air baloon	balon
information signs	znaki informacyjne
jalopy	gruchot
jeep	dżip

journey	podróż
lorry *UK*	ciężarówka
mandatory signs	znaki nakazu
minibus	mikrobus
moped	motorower
motor scooter	skuter
motorcycle	motocykl
passenger	pasażer
pedestrian	pieszy
pram	wózek
raft	tratwa
road rage	kłótnia uliczna
saloon	limuzyna
seatbelt	pasy
ship	statek
signs giving orders	znaki zakazu
skid	poślizg
steering wheel	kierownica
street sweeper	zamiatarka
submarine	łódź podwodna
tandem	tandem
tanker	cysterna
taxi	taksówka
tractor	traktor
traffic jam	korek uliczny
traffic signs	znaki drogowe
traffic warden	parkingowy
train	pociąg
tricycle	rower na trzech kółkach
trip	wycieczka
truck	ciężarówka
van	furgonetka
voyage	podróż morska
warming signs	znaki ostrzegawcze
wheel	koło
wiper	wycieraczki

WYRAŻENIA PRZYMIOTNIKOWE

adjustable seat	regulowane siedzenie
comfortable	wygodny
delivery truck	samochód dostawczy
economical	ekonomiczny
emergency vehicle	pojazd uprzywilejowany
estate car	samochód combi
expensive	drogi
fast	szybki
fire engine	samochód strażacki
goods truck *US*	ciężarówka dostawcza
heavy traffic	duży ruch
icy road	oblodzona droga
keen cyclist	zapalony rowerzysta
mail car	samochód pocztowy
off-road vehicle	samochód terenowy
police car	samochód policyjny
racing car	samochód wyścigowy
removal van	wóz meblowy
rescue truck	samochód ratowniczy
safe	bezpieczny
station wagon *US*	samochód combi

WYRAŻENIA CZASOWNIKOWE

to back a car - cofać samochód
to be a driver – być kierowcą
to buy a car – kupić samochód
to change the wheel - zmieniać koło
to commute - dojeżdżać
to cut in - zajechać komuś drogę
to drive a car - jechać samochodem
to fasten seatbelts - zapiąć pasy
to fell into a ditch - wpaść do rowu
to fill up with petrol - zatankować
to hog the road - blokować drogę

to jam on the brakes - gwałtownie zahamować
to pull out - włączać się do ruchu
to put on speed – zwiększać szybkość
to ride a bike - jeździć rowerem
to skidd off the icy road - wpaść w poślizg na oblodzonej drodze
to slip - pośliznąć się
to speed up - przyspieszać
to tow - holować

WAR AND PEACE
WOJNA I POKÓJ

RZECZOWNIKI

aggressor	agresor, najeźdźca
ally	sojusznik
army	armia
barracks	koszary
battle	bitwa
black spot	strefa zagrożenia
blank cartridge	ślepy nabój
blanket	koc
blood	krew
bomb	bomba
booty	łup
cartridge	nabój
casualty	ofiara wojenna
civil war	wojna domowa
colonel	pułkownik
combat	walka
combatant	kombatant
compulsory military service	obowiązkowa służba wojskowa
comrade	towarzysz
condemnation	potępienie, skazanie
conqueror	zdobywca
conquest	podbój, podbity kraj
conscience	sumienie
conscientious objector	człowiek uchylający się od służby wojskowej ze względów religijnych
consription	pobór do wojska
counter-attack	kontratak
death	śmierć
death toll	liczba ofiar
death-trap	śmiertelna pułapka

desertion	dezercja
destroyer	niszczyciel
enemy	wróg
evil	zło
fight	walka
fighter	bojownik
freedom	wolność
gun	broń palna, pistolet
gunboat	kanonierka
gunfire	strzelanina
gunman	rewolwerowiec
gunner	kanonier, artylerzysta
gunpowder	proch
gunshot	strzał
history	historia, przeszłość
holocaust	holocaust
horror	horror
hostility	wrogość
lieutenant	porucznik
live cartridge	ostry nabój
loot	łup
machine-gun	karabin maszynowy
manpower	stan liczebny armii
marines	piechota morska
medal	medal
memorial	pomnik
memory	pamięć
menace	groźba, zagrożenie
military equpment	sprzęt wojskowy
mine	mina
misery	cierpienie, niedola, nieszczęście
missle	pocisk
national defense	obrona narodowa
no-man's land	ziemia niczyja
nuclear weapons	broń nuklearna
officer in command	dowódca
order	order
pacifism	pacyfizm
pass	przepustka

peacetime	czas pokoju
peril	niebezpieczeństwo
permanent army	stała armia
plunder	grabież
prisoner of war	jeniec wojenny
private	szeregowiec
protest	protest
rank	ranga
recriut	rekrut
refugee	uchodźca
revolution	rewolucja
rifle	karabin
sergeant	sierżant
service	służba
soldier	żołnierz
squadron	szwadron
tank	czołg
the front	front
troops	wojsko
uniform	mundur
veteran	weteran
war crime	zbrodnia wojenna
warfare	działania wojenne
warrior	wojownik
warship	okręt wojenny
wartime	okres wojny
world war	wojna światowa
zone	strefa

WYRAŻENIA PRZYMIOTNIKOWE I PRZYSŁÓWKOWE

after the war	po wojnie
at the head of the army	na czele armii
bloody	krwawy
brave	odważny
deathly	śmiertelny, śmiertelnie
during the war	podczas wojny

hostile	wrogi, nieprzyjacielski
inhuman	nieludzki
inhumane	niehumanitarny
loaded	nabity
memorial	pamiątkowy
military	wojskowy
obedient	posłuszny
pacific, peaceful	pokojowy
pasifically	pokojowo
peaceful	pokojowy, spokojny
postwar	powojenny
robust	silny, krzepki
strategic	strategiczny
valour	mężny
warring	walczący, wojujący

WYRAŻENIA CZASOWNIKOWE

He was killed in action. – Zginął podczas walki.
to bomb – bombardować
to break out – wybuchnąć, uciec, zbiec
to combat – walczyć
to conquer – zdobyć, podbić
to counter-attack – kontratakować
to crawl – czołgać się
to defeat, to beat – pokonać
to destry – niszczyć
to enlist – werbować
to fight – walczyć
to gun – zastrzelić
to humiliate – poniżyć
to intern – internować
to join the army – wstąpić do armii
to loot – łupić
to menace – grozić, zagrażać
to mine – zaminować
to mobilise – mobilizować
to prevent – zapobiegać

humid	wilgotny
lovely weather	cudowna pogoda
meteorological	meteorologiczny
mild winter	łagodna zima
misty	mglisty
moderate wind	wiatr umiarkowany
muggy	duszny
northerly wind	północny wiatr
rainstorm	ulewa
rainy weather	deszczowa pogoda
shady	cienisty
slippery	śliski
snowy	śnieżny
soaking	przemoknięty
soft climate	łagodny klimat
southerly wind	południowy wiatr
spring weather	wiosenna pogoda
sticky afternoon	duszne, upalne popołudnie
stormy night	burzliwa noc
sultry	parny, duszny
sunny	słoneczny
tropical	tropikalny
unfavourable weather	niesprzyjające warunki
unpredictable	nieprzewidywalny
very strong wind	bardzo silny wiatr
warm	ciepły
westerly wind	zachodni wiatr
wet	mokry
windy	wietrzny

WYRAŻENIA CZASOWNIKOWE

it depends on the weather – to zależy od pogody
it is frosty – jest mróz
it is pouring – leje deszcz
it is raining cats and dogs – leje jak z cebra
it looks like rain – zanosi się na deszcz
it looks like storm – zanosi się na burzę

it's five degrees centigrade – jest 5 stopni Celsjusza
the pond is frozen – staw zamarzł
the region is covered by thick cloud – obszar jest w strefie zachmurzenia
the sky turned black – niebo zachmurzyło się
the storm is coming – nadciąga burza
the sun beats down – słońce mocno grzeje
the weather is nasty – pogoda jest brzydka
to acclimatize – aklimatyzować się
to be catch by the rain – zostać złapanym przez deszcz
to be sensibility dressed for the weather – być ubranym odpowiednio na warunki pogodowe
to be used to bad weather – być przyzwyczajonym do złej pogody
to clear up – wypogodzić się
to cloud over – zachmurzać się
to cool off – ochłodzić się
to drip – kapać
to drizzle – mżyć
to dry off – wytrzeć się
to dry out – zmoczyć się
to dry up – wyschnąć
to feel drops of rain – czuć krople deszczu
to flash – błyskać się
to melt – topnieć
to shiver from the cold – drżeć z zimna
to slip on the ice – poślizgnąć się na lodzie
to sprinkle – prószyć
to swamp – zalać
to take cover under some trees – schować się pod drzewami (np. przed deszczem)
to take shelter from the rain – schować się przed deszczem
to thunder – grzmieć
What's the weather like? – Jaka jest pogoda?
your shoes are sodden – twoje buty są przemoczone

WEIGHTS, MEASURES, QUANTITIES
WAGI, MIARY, OKREŚLENIA ILOŚCI

RZECZOWNIKI

a bar of sth	kostka czegoś
a bunch of sth	wiązanka
a head of cannage	główka kapusty
a jar of sth	słoik dżemu
a loaf of bread	bochenek chleba
a quarter	ćwiartka
a sachet	jednorazowa porcja
a sheet of paper	arkusz papieru
acre	akr
all	wszystko
bag	torebka
barrel	beczka
box	pudełko
can	puszka
carton	karton
case	skrzynka
centimetre	centymetr
decagram	dekagram
decibel	decybel
degree	stopień
dimension	wymiar
dose	porcja
dozen	tuzin
gange	przyrząd pomiarowy, skala
gram	gram
half	połowa
hectare	hektar
hectolitre	hektolitr

kilogram	kilogram
kilometre	kilometr
litre	litr
measure	miara
measurment	pomiar
pack	paczka
packet	opakowanie
pair	para
piece	kawałek
pinch	szczypta
portion	porcja
quintal	kwintal
register	rejestr
running metre	metr bieżący
sack	worek
slice	plasterek
spoonful of sugar	łyżeczka cukru
square cubic metre	metr kwadratowy
survey	pomiar terenu
surveyor	mierniczy
ten per cent	dziesięć procent
tin	puszka
ton	tona
tube	tubka
whole	całość
unit	jednostka

WYRAŻENIA PRZYMIOTNIKOWE I PRZYSŁÓWKOWE

a bit	trochę
a few	kilka
a little	trochę
a little bit	odrobina
bit	kawałek
double	podwójna ilość
enough	dość
everything	wszystko

326

few	mało
fewer	mniej
half a bottle	pół butelki
half a kilogram	pół kilograma
half a littre	pół litra
less	mniej
little	mało
lots of	dużo
many	dużo (np. ludzi)
much	dużo (np. czasu)
not too little	nie za mało
one fourth	jedna czwarta
one third	jedna trzecia
quantitive	ilościowy
several	kilka
some	kilka
three fourth	trzy czwarte
three times	trzy razy
too little	za mało

WYRAŻENIA CZASOWNIKOWE

Don`t you dare ! – Ani mi się waż !
How much do you weigh ? – Ile ważysz ?
to aim a gun at sb – brać na cel
to be in the balance – ważyć o czyichś losach
to dare – ważyć się, odważać się
to equal sb – mierzyć się z kimś
to eye sb up and down – mierzyć kogoś wzrokiem
to fill – napełniać się
to fill up – napełniać się
to have high aspirations – mierzyć wysoko
to measure – mierzyć
to measure others by one`s own yard-sick – mierzyć innych
własną miarą
to measure sb – zmierzyć kogoś
to weigh – odważać
to weigh one`s words – ważyć słowa

to weigh oneself – ważyć się
to weigh sthin the hand – oceniać wagę czegoś w ręce

WORK
PRACA

RZECZOWNIKI

accountant	księgowy
actor	aktor
actress	aktorka
applicant	osoba ubiegająca się o pracę
application form	formularz zgłoszeniowy
architect	architekt
assistant	asystent
attorney *US*	adwokat
barrister	adwokat
benefits	wyposażenie służbowe
butcher	rzeźnik
cashier	kasjer
clerk	urzędnik
company	firma
craftsman	rzemieślnik
curriculum vitae	życiorys zawodowy
dean	dziekan
director	reżyser
doctor	lekarz
donkeywork	harówka
economist	ekonomista
editor	redaktor
electrician	elektryk
employee	pracownik
employer	pracodawca
employment	zatrudnienie
engineer	inżynier
experience	doświadczenie
factory	fabryka
full-time position	pełny etat
golden handshake	odprawa
health insurance	ubezpieczenie zdrowotne

housekeeper	gosposia
housewife	gospodyni domowa
interview	rozmowa kwalifikacyjna
job applicant	osoba ubiegająca się o pracę
job description	zakres obowiązków
joiner	stolarz
journalist	dziennikarz
judge	sędzia
labourer	robotnik
lecturer	bibliotekarz
manager	dyrektor
mechanic	mechanik
middleman	pośrednik
musician	muzyk
newsagent	kioskarz
night shift	nocna zmiana
notary	notariusz
novelist	powieściopisarz
nurse	pielęgniarka
office	biuro
painter	malarz
partnership	spółka
part-time job	praca w niepełnym wymiarze godzin
pension	emerytura
pensioner	emeryta
pilot	pilot
place of work	miejsce pracy
playwright	dramatopisarz
plumber	hydraulik
policeman	policjant
postman	listonosz
printing house	drukarnia
profession	zawód
professor	profesor
prosecutor	prokurator
psychologist	psycholog
publisher	wydawca
qualifications	kwalifikacje
referee	osoba pisząca referencje

reference	referencja
resume *US*	życiorys zawodowy
sailor	marynarz
salary	wypłata miesięczna
salesperson	sprzedawca
security guard	strażnik
shop assistant	ekspedientka
shopkeeper	właściciel sklepu
singer	piosenkarz
staff	załoga
teacher	nauczyciel
tradesman	kupiec
trainee	praktykant
translator	tłumacz
typist	maszynistka
unemployment	bezrobocie
wage	wypłata tygodniowa
watchmaker	zegarmistrz
white-collar worker	urzędnik
worker	pracownik
workplace	miejsce pracy, zakład pracy
workshop	warsztat

WYRAŻENIA PRZYMIOTNIKOWE

arduous work	żmudna praca
blue-collar worker	pracownik fizyczny
chore work	nieprzyjemna praca
creative lob	twórcza praca
dangerous work	niebezpieczna praca
drudgery	mozolna praca
effective work	użyteczna praca
efficient work	wydajna praca
manual work	praca ręczna
multi-shift work	praca na zmiany
non-productive labour	nieprodukcyjna praca
odd job	dorywcza praca

overtime work	praca w godzinach nadliczbowych
painstaking work	staranna praca
regular job	stała praca
repetitive job	rutynowa praca
satisfying job	satysfakcjonująca praca
scientific work	praca naukowa
strenuous work	uciążliwa praca
stressful job	stresująca praca
well-paid job	dobrze płatna praca

WYRAŻENIA CZASOWNIKOWE

to apply for a job – ubiegać się o pracę
to be fired – zostać wylanym z pracy
to be given notice – dostać wymówienie
to be laid off – zostać zwolnionym
to be on the dole – być na zasiłku
to be out of work – być bez pracy
to be sacked – zostać wylanym z pracy
to dismiss – być zwolnionym
to fill in the application – wypełniać aplikację
to get paid - dostać wypłatę
to get promoted – awansować
to go on strike – strajkować
to lose one`s job – stracić pracę
to put in for a rise – prosić o podwyżkę
to resign – rezygnować
to retire – iść na emeryturę
to work for peanuts – pracować za psie pieniądze
to work full-time – pracować na pełnym etacie
to work overtime – pracować w nadgodzinach
to work the night shift – pracować na zmiany

DODATEK
APPENDIX

COLLOQUAIL PHRASES
ZWROTY POTOCZNE

a bad workman blames his tools – kiepskiej baletnicy przeszkadza rąbek u spódnicy
a bird in hand is worth two in a bush – lepszy wróbel w garści niż gołąb na dachu
a friend in need is a friend indeed – prawdziwych przyjaciół poznajemy w biedzie
a sound mind in a sound body – w zdrowym ciele zdrowy duch
all right! – w porządku!, zgoda!
an early bird – ranny ptaszek
an eye for an eye and a tooth for a tooth – oko za oko, ząb za ząb
and all that – i tak dalej, i temu podobnie
as clear as a day – jasne jak słońce
as deaf as a post – głuchy jak pień
as free as a bird – wolny jak ptak
as pale as death – blady jak śmierć
at first sight – na pierwszy rzut oka
at that – na dodatek
beauty is in the eye of the beholder – piękno jest kwestią gustu
beauty is only skin deep – pozory mylą
better late than never – lepiej późno niż wcale
black sheep, rotten apple – czarna owca
catch question – podchwytliwe pytanie
cold feet – zajęcze serce
cold fish – zimna ryba, ktoś nieczuły
crocodile tears – krokodyle łzy
dead men tell no tales – zmarli nie zdradzają sekretów
dirty work – brudna robota
don't count your chicken before they're hetched – nie mów hop, zanim nie przeskoczysz
experience is the best teacher – ucz się na własnych błędach
for one thing – przede wszystkim
he laughs best who laughs last – ten się śmieje, kto się śmieje ostatni
here and there – tu i tam

in any case – tak czy inaczej
in black and white – czarno na białym
in cold blood – z zimną krwią
in no case – w żadnym wypadku
it is no use crying over split milk – nie ma co płakać nad rozlanym mlekiem
it never rains but it pours – nieszczęścia chodzą parami
junk food – jedzenie o niskiej wartości odżywczej (np. hamburgery)
junk mail – ulotki reklamowe dostarczane przez pocztę
like master like man – jaki pan, taki kram
like that – w taki sposób
make hay while the sun shines – kuj żelazo póki gorące
man cannot live by bread alone – nie samym chlebem żyje człowiek
many a time – wiele razy
nail in sb's coffin – gwóźdź do czyjejś trumny
necessity is the mother of invention – potrzeba jest matką wynalazków
never look a gift horse in the mouth – darowanemu koniowi w zęby się nie zagląda
not worth the candle – nie warty zachodu
old wives tale – babskie gadanie
peace pipe – fajka pokoju
red light – ostrzeżenie
small talk – rozmowa o błahostkach
speech is silver but silence is golden – mowa jest srebrem, lecz milczenie złotem
sth is up – coś się dzieje
still waters run deep – cicha woda brzegi rwie
talk of the devil, and he is sure to appear – o wilku mowa, a wilk tuż
tell me another! – nie żartuj ze mnie!
the die is cast – kości zostały rzucone
the hub of the universe – pępęk świata
the other side of the coin – druga strona medalu
there and then – natychmiast
there's sth in the wid – coś się szykuje
this an that – to i tamto
to be behind the times – być staroświeckim, przestarzałym

to be in chains – być w niewoli
to be in charge – kierować
to be in doubts – mieć wątpliwości
to be keen on sth – interesować się czymś
to be on a wild-goose chase – porywać się z motyką na księżyc
to be ready at hand – być pod ręką
to bore sb to death – zanudzić kogoś na śmierć
to break sb's heart – złamać komuś serce
to burst into tears – wybuchnąć płaczem
to catch sb red handed – złapać kogoś na gorącym uczynku
to come to light – wyjść na jaw
to cry for the moon – żądać gwiazdki z nieba
to do justice to sb – oddać komuś sprawiedliwość
to get a bad name – utracić reputację
to get down to the business – przejść do sedna sprawy
to go to the dogs – zejść na psy
to have tied hands – mieć związane ręce
to hit the bottle – zaglądać do kieliszka
to keep on doing sth – nie przestawać robić czegoś
to keep sth in mind – pamiętać o czymś
to know sb by name – znać kogoś ze słyszenia
to leave sb cold – nie zrobić na kimś żądnego wrażenia
to lend sb wings – dodać komuś skrzydeł, uskrzydlić
to make both ends meet – wiązać koniec z końcem
to make friends with sb – zaprzyjaźnić się z kimś
to make oneself understood –wyrażać się jasno
to make sure that – upewnić się, że...
to make the best of a bad business – robić dobrą minę do złej gry
to make up one's mind – zdecydować się
to mind one's own business – nie mieszać się do cudzych spraw
to name the day – wyznaczyć datę (np. ślubu)
to pay compliments – prawić komplementy
to rake over the ashes – odgrzebywać przeszłość
to read between the lines – czytać między wierszami
to risk one's neck – nadstawiać karku
to see through sb – przejrzeć kogoś
to sell one's soul – zaprzedać się
to sleep like a top – spać jak suseł
to sleep the sleep of the just – spać snem sprawiedliwego

336

to sread one's wing – rozwinąć skrzydła
to swear black is white – zaprzeczać w żywe oczy
to take a deep breath – wziąć głęboki oddech
to take place – mieć miejsce
to take sth for granted – uznać coś za pewnik bez podania dowodów
to tell the truth – mówiąc prawdę
to think aloud – głośno myśleć
to tighten a belt – zacisnąć pasa
to turn the other cheek – nadstawić drugi policzek
to unload one's heart – zrzucić ciężar z serca
to walk up and down – spacerować tam i z powrotem
too many cooks spoil the broth – gdzie kucharek sześć, tam nie ma co jeść
ugly duckling – brzydkie kaczątko
under the circumstances – w tych okolicznościach
what a pity! – jaka szkoda!
when in Rome do as the Romes – jeśli wejdziesz między wrony, musisz krakać jak i one
wretched weather – pogoda pod psem
you bet! – możesz być pewien!

COMMON ABBREVIATIONS
CZĘSTO UŻYWANE SKRÓTY

A/a	**for account for** – na rachunek
abbr.	**abbreviated** – skrócony
ABC	**atomic, biological and chemical weapons** – broń atomowa, biologiczna i chemiczna
A.B.C.	**the alphabet** – abecadło
A-bomb	**atomic bomb** – bomba atomowa
A.C.	**ante Christum** – przed narodzeniem Chrystusa
acc.	**account** – rachunek
adm.	**administration** – administracja
A.D.	**Anno Domini** *łac.* – w roku pańskim
adv.	**advance** – zaliczka
Afr.	**Africa** – Afryka
aft.	**afternoon** – popołudnie
a.m.	**ante meridiem** *łac.* – przed południem
A.M.	**Artium Magister** – magister nauk humanistycznych
A.P.	**Associated Press** – amerykańska agencja prasowa
Apr.	**April** – kwiecień
ass.	**association** – stowarzyszenie
asst	**assistant** – asystent
Att.	**Attorney** – adwokat
Austral.	**Australian** – australijski
Ave	**Avenue** – aleja
b.b.b.	**bed, breakfast and bath** – pokój ze śniadaniem i kąpielą
B.B.C.	**British Broadcasting Corporation** – Brytyjskie Radio
B.C.	**before Crist** – przed Chrystusem
BEA	**British European Airways** – Brytyjskie Europejskie Linie Lotnicze
B/H	**Bill of Health** – świadectwo zdrowia
B.O.T.	**Board of Trade** – Ministerstwo Handlu
B.R.	**British Railways** – Koleje Brytyjskie
Bros.	**Brothers** – bracia
c.	**cent** – cent
Can.	**Canada** – Kanada
c.c.	**cubic centimetre** – centymetr sześcienny

C.C.	**Chamber of Commerce** – Izba Handlowa
cent.	**century** – wiek
cent.	**centigrate** – stopień
cert.	**certificate** – zaświadczenie
c.h.	**central heating** – centralne ogrzewanie
C.H.	**Custom House** – Urząd Celny
ch..	**chapter** – rozdział
C.I.	**Channel Islands** – Wyspy Normandzkie
C/I	**Certificate of Insurance** – polisa ubezpieczeniowa
CIA	**Central Intelligence Agency** *US* – Centralna Agencja Wywiadowcza
cit.	**citation** – cytat
C.J.	**Chief Justice** – Prezes Sądu Najwyższego
cm..	**centimetre** – centymetr
CN	**Commonwealth of Nations** – Wspólnota Narodów
Co.	**Company** – kompania
Coll.	**College** – koledż
d.	**date** - data
D.	**Departament** – departament
d.c.	**direct current** – prąd stały
Dec.	**December** – grudzień
deg.	**degree** – stopień temperatury
Dept.	**Department** – oddział
D.M.	**Doctor of Medicine** – doktor medycyny
Doc.	**Doctor** – doktor
dol.	**dollars** – dolary
D.Phil.	**Doctor of Pfilosophy** – doktor filozofii
D.Sc.	**Doctor of Science** – doktor nauk przyrodniczych
E.	**East** – wschód
e.g.	**exempli gratia** *łac.* – na przykład
Eng.	**England** – Anglia
Esq.	**Esquire** – Wielmożny Pan
Etc.	**et cetera** *łac.* – i tak dalej
eve.	**evening** – wieczór
ext.	**extension** – telefon wewnętrzny
f.	**foot** – stopa
F.C.	**Football Club** – Klub Piłki Nożnej
Feb.	**February** – luty
Fr.	**Father** – ojciec
Fri.	**Friday** – piątek

g.	**gramme** – gram
GB	**Great Britain** – Wielka Brytania
Ger.	**German** – niemiecki
Gov.	**government** – rząd
G.S.	**General Secretary** – Sekretarz Generalny
h.	**hour** – godzina
H.C.	**House of Commons** – Izba Gmin
H.L.	**House of Lords** – Izba Lordów
hosp.	**hospital** – szpital
H.P.	**House of Parliament** – Parlament Brytyjski
I.C.J.	**International Court of Justice** – Międzynarodowy Trybunał Sprawiedliwości
I.C.R.C.	**International Committee of the Red Cross** – Międzynarodowy Komitet Czerwonego Krzyża
incl.	**including** – włącznie
INTERPOL	**International Criminal Police Commission** – Międzynarodowa Organizacja Policji Kryminalnej
I.Q.	**Intelligence Quotient** – współczynnik inteligencji
I.R.C.	**International Red Cross** – Międzynarodowy Czerwony Krzyż
Jan.	**January** – styczeń
Jul.	**July** – lipiec
Jun.	**June** – czerwiec
kg.	**kilogram** – kilogram
km..	**kilometre** – kilometr
Lon.	**London** – Londyn
Ltd.	**Limited (Company)** – spółka z ograniczoną odpowiedzialnością
M.A.	**Master of Arts** – magister nauk humanistycznych
Mar.	**March** – marzec
M.O.	**money order** – przekaz pieniężny
M.P.	**Member of Parliament** – członek parlamentu
m.p.h.	**miles per hour** – mil na godzinę
Mr	**Mister** – pan
Mrs	**Mistress** – pani
Mt.	**mountain** – góra
NASA	**National Aeronautics and Space Administration** – Narodowa Agencja do spraw Aeronautyki i Przestrzeni Kosmicznej
No.	**number** – liczba

Nov.	**November** – listopad
N.Y.	**New York** – Nowy Jork
Oct.	**October** – październik
p.	**page** – strona
ph.	**per hour** – na godzinę
p.m.	**post meridiem** – po południu
P.O.	**Post Office** – urząd pocztowy
Prof.	**Professor** – profesor
p.s.	**per second** – na sekundę
r.	**river** – rzeka
R.A.	**Royal Academy** – Akademia Królewska
Rd	**road** – droga
s.	**second** – sekunda
S.D.	**State Department** – ministerstwo spraw zagranicznych
Sep.	**September** –wrzesień
St	**saint**- święty
Sun.	**Sunday** – niedziela
t.	**ton** – tona
temp.	**temperature** – temperatura
Thurs.	**Thursday** – czwartek
Tues.	**Tuesday** – wtorek
U.K.	**United Kingdom** – Zjednoczone Królestwo
U.N.	**United Nations** – Narody Zjednoczone
U.N.O.	**United Nations Organization** – Organizacja Narodów Zjednoczonych
V-Day	**Victory Day** – Dzień Zwycięstwa
w.c.	**water closet** – ustęp
Xmas	**Christmas** – Boże Narodzenie
Yr	**year** – rok

NAMES
IMIONA

Abel	Abel
Ada	Ada
Adam	Adam
Adrian	Adrian
Agatha	Agata
Agnes	Agnieszka
Alexander	Aleksander
Alexandra	Aleksandra
Alice	Alicja
Amadeus	Amadeusz
Andrew	Andrzej
Angelica	Aniela, Andżelika
Ann	Anna
Anthony	Antoni
Arthur	Artur
Augustine	Augustyn
Baltazar	Baltazar
Bartholomew	Bartłomiej
Beatrice	Beatrycze
Benedict	Benedykt
Bob	Robert
Caroline	Karolina
Catherine	Katarzyna
Charles	Karol
Christian	Krystian
Christopher	Krzysztof
Claudia	Klaudia
Conrad	Konrad
Daniel	Daniel
Dominic	Dominik
Dorothy	Dorota
Edith	Edyta
Elisabeth	Elżbieta
Emily	Emilia
Eva	Ewa

Felicity	Felicja
Felix	Feliks
Ferdinand	Ferdynand
Frances	Franciszka
Frederick	Fryderyk
Genevieve	Genowefa
George	Jerzy
Gregory	Grzegorz
Harriet	Henryka
Helen	Helena
Henry	Henryk
Horatio	Horacy
Hubert	Hubert
Irene	Irena
Isaac	Izaak
Isabel	Izabela
Ivan	Iwan
James, Jacob	Jakub
Jane	Janina
Jeremiah	Jeremiasz
John	Jan
Josephine	Józefina
Judith	Judyta
Julia	Julia
Justine	Justyna
Laura	Laura
Laurence	Wawrzyniec
Leonard	Leonard
Leopold	Leopold
Lewis	Ludwik
Lilly	Lilianna
Louise	Ludwika
Lucas	Łukasz
Lucy	Lucyna
Luter	Luter
Magdalen	Magdalena
Margaret	Małgorzata
Maria, Mary	Maria
Mark	Marek
Martha	Marta

Martin	Marcin
Mathilda	Matylda
Maurice	Maurycy
Maximilian	Maksymilian
Michale	Michał
Monica	Monika
Moses	Mojżesz
Natalie	Natalia
Ophelia	Ofelia
Oscar	Oskar
Patricia	Patrycja
Patrick	Patryk
Paul	Paweł
Pauline	Paulina
Peter	Piotr
Philip	Filip
Raymond	Rajmund
Renata	Renata
Samuel	Samuel
Sebastian	Sebastian
Silvia	Sylwia
Simon	Szymon
Solomon	Salomon
Stephen	Stefan
Susannah	Zuzanna
Teresa	Teresa
Thaddeus	Tadeusz
Theodore	Teodor
Theresa	Teresa
Thomas	Tomasz
Titus	Tytus
Tobias	Tobiasz
Ursula	Urszula
Victor	Wiktor
Victoria	Wiktoria
Vincent	Wincent
Will	Julian
William	Wilhelm
Yvonne	Iwona

COUNTRIES AND NATIONALITIES
KRAJE I NARODOWOŚCI

RZECZOWNIKI

Afghanistan	Afganistan
Africa	Afryka
Alaska	Alaska
Albania	Albania
Algeria	Algieria
Argentina	Argentyna
Armenia	Armenia
Asia	Azja
Australia	Australia
Austria	Austria
Azerbaaijan	Azerbejdżan
Bolivia	Boliwia
Bosnia	Bośnia
Brasil	Brazylia
Briton	Brytyjczyk
Bulgaria	Bułgaria
Canada	Kanada
Chile	Chile
China	Chiny
Colombia	Kolumbia
Cuba	Kuba
Denmark	Dania
Egypt	Egipt
Estonia	Estonia
Ethopia	Etiopia
Finland	Finlandia
France	Francja
Frenchman	Francuz
Gambia	Gambia
Germany	Niemcy

Great Britan	Wielka Brytania
Greece	Grecja
Holland	Holandia
Hungary	Węgry
India	India
Indonesia	Indonezja
Iran	Iran
Iraq	Irak
Ireland	Irlandia
Irishman	Irlandczyk
Italy	Włochy
Jamaica	Jamajka
Japan	Japonia
Kazakhstan	Kazachstan
Kenya	Kenia
Liberia	Liberia
Lithuania	Litwa
Malaysia	Malezja
Mexico	Meksyk
Morocco	Maroko
New Zealand	Nowa Zelandia
Nigeria	Nigeria
North America	Północna Ameryka
Norway	Norwegia
Pakistan	Pakistan
Poland	Polska
Pole	Polak
Portugal	Portugalia
Rumania	Rumunia
Russia	Rosja
Slovakia	Słowacja
Slovenia	Słowenia
South Africa	Północna Afryka
South America	Ameryka Południowa
Spain	Hiszpania
Sudan	Sudan
Swede	Szwed
Sweden	Szwecja
Switzerland	Szwajcaria
Taiwan	Tajwan

346